LIBRE!

Pour le plaisir des mots...

France
2002-2003

Grande Nature

Collection dirigée par
Michèle Gaudreau

LIBRE!

CLAUDE ARBOUR

avec la collaboration de
Élisabeth Gauthier

Données de catalogage avant publication (Canada)

Arbour, Claude, 1954-

Libre!

(Grande nature)
Texte abrégé de l'ouvrage Le chant du Nord, destiné aux jeunes de 12 à 16 ans.
Comprend des réf. bibliogr.

ISBN 2-89435-070-8

I. Sciences naturelles – Québec (Province) – Maskinongé (Municipalité régionale de comté) – Ouvrages pour la jeunesse. 2. Faune – Observation – Québec (Province) – Maskinongé (Municipalité régionale de comté) – Ouvrages pour la jeunesse. 3. Plein air – Québec (Province) – Maskinongé (Municipalité régionale de comté) – Ouvrages pour la jeunesse. 4. Traîneau à chiens (Sport) – Ouvrages pour la jeunesse. 5. Arbour Claude, 1954- – Ouvrages pour la jeunesse. I. Gauthier, Elisabeth, 1963- . II. Titre. III. Titre: Le chant du Nord. IV. Collection.

QH106.2.Q8A73 1995 j508.714'44 C95-941083-X

Illustration: Alain Massicotte

Photocomposition: Tecni-Chrome

ISBN 2-89435-070-8
Dépôt légal - Bibliothèque nationale du Québec, 1995

Éditions Michel Quintin
C.P. 340, Waterloo (Québec)
Canada J0E 2N0
Tél.: (514) 539-3774

1 2 3 4 5 6 7 8 9 0 I M L 9 8 7 6 5

Nul ne peut affirmer que le parfum de l'aubépine est inutile aux constellations.

Victor Hugo

Avant-propos

Un soir de septembre, j'étais avec un ami au lac Villiers, au nord de Saint-Michel-des-Saints. J'écoutais des huarts qui chantaient sur le lac lorsque Claude Arbour arriva à notre chalet, à bord de son canot.

« Bonsoir ! » « Bonsoir ! », trois tasses de thé sur la table, et Claude commença à nous raconter les nouvelles du lac. En fait, il en avait plus long à dire que nous, même s'il n'avait pas quitté sa forêt depuis des mois !

Claude observait la nature avec attention, avec intuition. À sa manière de parler, on voyait qu'il connaissait les animaux et même, qu'il les reconnaissait.

Il ne disait pas: « J'ai vu un huart », mais plutôt: « J'ai vu *ce* huart-là ce matin ». Il savait où était son nid, pourquoi il avait traversé le lac deux fois cette journée-là, et ainsi de suite. C'était passionnant!

Pendant que Claude parlait, je me demandais pourquoi cet homme si sociable, qui savait si bien raconter, vivait seul dans les bois. Enfin, pas toujours seul: pendant les longs week-ends, quelques pêcheurs venaient habiter les autres chalets qui bordent le lac Villiers; des amis de Claude venaient parfois lui rendre visite. Mais tout de même, passer toute l'année à 10 km de la route la plus proche, sans aller voir un film ni prendre un café... Quel être peu banal!

Voilà pourquoi j'ai eu envie de vous faire connaître Claude Arbour. Les prochains chapitres sont tirés de divers « numéros » de *La lettre de Claude Arbour,* ce mini-journal que Claude envoie à tous ceux qui le soutiennent financièrement dans ses travaux. J'espère que vous aurez autant de plaisir à lire ces textes que j'en ai eu à les rassembler. Bonne lecture!

Élisabeth Gauthier

Introduction

Suivant une piste battue par les motoneiges, sous une forêt de pins, les chiens vont bon train. Dans les secteurs droits et les débuts de montée, ils tirent le traîneau à une vitesse d'environ 20 à 30 km/h. Ils gravissent les petites dénivellations à la même allure. Ils grimpent les plus fortes, qui mènent au sommet des montagnes, à 15 km/h, tous les traits demeurant toujours bien tendus. Tout va bien: « Bons chiens ! » Un petit problème se pose cependant dans les descentes. La femelle de tête, qui guide l'attelage, ne court pas assez vite. De ce fait, ses deux fils, placés aux pointes de l'équipe et filant à toute allure queue baissée et tête pointée, réussissent à s'approcher d'elle à tel point qu'ils risquent de s'emmêler dans ses cordages qui glissent sur la neige. J'ai beau la motiver, lui crier : « Otso, Otso ! », elle ne peut pas aller plus vite : l'équipe est devenue plus rapide qu'elle. Ce sera bientôt le moment d'entraîner un nouveau chef. J'ai placé en pointe droite depuis le tout début de son entraînement un des fils d'Otso, Kashtin, en qui je fonde mon espoir ; je veux qu'il apprenne graduellement les commandements que je donne au chef de l'équipe, situé juste devant lui, et qu'il s'imprègne à jamais d'une tendance à tenir sa droite afin que les rencontres avec d'autres équipes de chiens venant en sens inverse dans des pistes étroites ne se soldent pas par des collisions !

Et pourquoi pas maintenant ? « Whoa ! Whoa, les chiens ! » L'équipe de 11 chiens, tous des huskys sibériens de race, s'arrête sur-le-champ. La plupart d'entre eux regardent en arrière, se demandant la raison de cet arrêt subit quand tout allait si bien et si vite. « Couché les chiens, bouge pas. » Tous obéissent à cette demande, profitant du moment pour souffler un peu et pour arracher les quelques mottes de neige qui leur collent aux pattes. Je marche le long de l'équipe, détache les deux cordages de Kashtin et l'emmène en avant pour l'attacher au trait de tête. Je lui dis: « Couché mon petit, bouge pas. » Je fais reculer Otso en pointe droite, la rassure un peu par un contact de ma main sur sa tête pour lui signifier que je ne lui en veux pas et rejoins rapidement ma place sur les patins du traîneau. Le moment est crucial. Le jeune chien porte toute la responsabilité de l'équipe et il le sent. Le stress qu'il subit, seul en avant de l'équipe pour la première fois, peut facilement l'empêcher de se relever. Le temps compte. Plus les secondes passent, plus il risque d'oublier la sensation de l'équipe en mouvement. Je dois lui faire reprendre la piste, vite, vite.

Je regarde l'équipe. Tout me semble en ordre. J'enlève l'ancre à neige et lance d'une voix ferme: « Kashtin, en avant! » Le jeune tire de toutes ses forces sur son attelage et entraîne avec lui l'équipe et le traîneau. Il exprime sa surprise d'être seul en avant par quelques bonds de côté et plusieurs regards en arrière mais file à toute allure, tête pointée, oreilles dressées et queue baissée. L'équipe va bientôt amorcer une descente abrupte. Une centaine de bonds rapides et Kashtin disparaît dans la descente, suivi des cinq paires de chiens et du traîneau. La descente se poursuit sur un kilomètre. Malgré la neige soulevée par les chiens et qui me colle au visage, malgré le vent et les vibrations causées par les ondulations de la piste de motoneige, je vois et surtout, je sens que le trait principal qui mène du traîneau au chien de tête est toujours bien tendu par un Kashtin qui tire de tout son cœur. Sur le plateau suivant, je secoue la tête, souffle vers mes yeux pour en décoller la neige et observe ma nouvelle équipe.

Le ciel colore la piste d'un bleu particulier. Nous nous engouffrons dans un tunnel vert et blanc formé par les branches enneigées des pins gris. Le soleil du matin dore la neige, la piste zigzague dans cette ouate brillante. Malgré toute cette beauté, les chiens ne ralentissent pas. Soufflant leur haleine fumante dans l'air à -30 °C, ils foncent de plus belle vers la prochaine descente. Tout en continuant sa course, Kashtin me jette un regard par-dessus son épaule, attendant mon opinion. « C'est beau Kashtin, en avant!» Il pointe à nouveau son museau vers la piste et augmente sa vitesse presque imperceptiblement.

De retour à la maison, après avoir couvert 100 km en six heures, je passe enfin sous l'arche arborant le nom « Chenil Kiakita ». Je fais coucher les chiens en ligne au centre de ce petit village de niches en bois rond. Un à un, j'enlève les harnais des chiens et au commandement « Cabane ! », chacun se dirige vers sa propre petite maison. Une fois le traîneau appuyé sur un arbre et les attelages et les traits bien remisés, alors seulement je passe à chaque cabane pour attacher les chiens, les inviter un par un à sortir de leur niche pour recevoir la caresse et les félicitations auxquelles ils ont droit et un baiser pour la nuit. Puis, assis au centre du chenil, j'admire mes jeunes princes qui se reposent, étendus dans la lumière orangée d'un autre coucher de soleil inoubliable. Je les remercie un par un. En m'entendant prononcer son nom, chaque chien bat légèrement de la queue, me confirmant qu'il a compris. J'avise la meute : « Vous aurez votre repas plus tard, les gars. Ce soir, j'ai plein de choses à écrire à votre sujet. » Et comme je quitte le chenil, je m'arrête soudainement, reviens sur mes pas et en regardant les quatre femelles du groupe, leur glisse : « Les filles aussi ! »

Ce soir-là, après avoir écrit ce texte, je dus utiliser ma lampe frontale pour servir leur repas à mes chiens. Il était beaucoup plus tard que je ne l'aurais cru ! Mais c'était pour une bonne cause : en lisant ce texte et ceux qui suivent, je voudrais que vous puissiez imaginer ce que goûte l'air du lac Villiers, mon petit paradis. Je voudrais vous emmener, en pensée du moins, dans les sous-bois (et les mouches noires !) découvrir une nouvelle espèce de plante sauvage ; observer avec vous au bord du lac un corbeau et un balbuzard se disputant un corégone aux écailles d'argent ; vous raconter, près d'un feu, ce que je sais de la vie quotidienne des êtres dont je partage l'habitat : ratons laveurs, gélinottes, loutres, érables, brochets... Je voudrais insuffler dans votre vie de tous les jours le calme et la beauté de cette nature que j'habite, vous faire partager mon amour pour elle et la joie qu'elle me donne. Et peut-être, vous entraîner à ma suite.

Chapitre 1

D'où je viens

À 37 ans, j'ai passé plus du tiers de ma vie dans la nature et j'espère bien qu'à 60 ans, j'y aurai passé les deux tiers de mon temps. Chose étrange, direz-vous, en cette fin de XXe siècle. Mais laissez-moi d'abord vous raconter comment je me suis retrouvé ici...

J'ai passé la majeure partie de mon adolescence le nez en l'air à faire de l'ornithologie. Les noms anglais, français, latin des oiseaux, les nids, les chants, les œufs, les migrations, tout m'intéressait. À tel point qu'au beau milieu de mon secondaire V, constatant que l'ornithologie nuisait à mes études, je laissai l'école. Me déclarant majeur et étudiant en biologie, je décrochai un emploi passionnant à l'Université de Sherbrooke, emploi qui consistait à faire l'inventaire des oiseaux du mont Bellevue. Été délicieux, partagé entre l'observation des oiseaux de quatre heures à midi et des lectures sur les oiseaux tous les après-midi à la bibliothèque de l'université. Plus tard, j'ai coulé de l'acier dans une fonderie, puis je suis devenu propriétaire d'un commerce florissant de taxidermie. Je voulais avoir une maison, une télé couleur, un camion et une tondeuse à gazon. Je passais mon peu de temps libre au chalet que j'avais acheté avec des amis au lac Villiers. C'est à cette époque que, au cours d'un voyage au lac avec un ami, je pris conscience que j'étais captif de tous ces biens que j'avais acquis et pour lesquels je travaillais sans arrêt. Je le compris si bien que je décidai illico de tout vendre et de retourner vivre en forêt. Tout y passa : motoneige, commerce, etc. Tout fut vendu à perte, mais en revanche, j'avais acquis ma liberté. C'était en 1979, j'avais 25 ans.

Heureux hasard, on m'offrit un emploi de gardien dans un club de chasse et pêche au magnifique lac Sincenne, avec sa héronnière, ses loups et sa flore fantastique. Pendant les trois ans qui suivirent, tous ceux qui désiraient apprendre ce que je savais de la nature furent servis. Par contre, ceux qui voulaient un guide qui sache fermer les yeux sur le braconnage furent déçus. Peu à peu, je perdais le goût d'exploiter la nature. C'était la rançon de tant d'heures passées en silence, l'esprit vide, à contempler l'univers. Je quittai le club.

Je commençai à cette époque à faire l'acquisition de chiens de traîneau. Vint d'abord Kaya, une petite husky recueillie dans une ruelle de Montréal par une amie, puis Moyac, Mattawin's Touan Moyac, un mâle superbe, husky sibérien de bonne lignée. Ce fut le début de ma première meute, avec laquelle je vécus pendant quatre ans au lac Villiers, en compagnie d'un ami, lui aussi passionné par les chiens. Nos chiens vivaient dans un endroit relativement propre que nous avions baptisé «Chenil Kiakita». Mais leurs chaînes étaient trop courtes, beaucoup trop courtes, et nos techniques de dressage, trop souvent violentes. Nous appliquions les méthodes qu'on nous avait enseignées : «Tu élèves des chiens en quantité, tu gardes les meilleurs et tu donnes les autres si tu peux, sinon, tu les abats. Quand un chien t'a montré qu'il est "capable", tu ne lui permets plus de faillir à la tâche. Il marche ou tu le frappes. » Et enfin : « Quand un chien devient trop vieux pour tirer, tu l'abats et tu le remplaces par un plus jeune. »

Le réveil fut brutal : en mars 1986, j'avais 32 chiens à nourrir, 32 chiens qui m'étaient presque inconnus. D'autre part, il me semblait que la nature, de plus en plus dégradée par la pollution et l'utilisation abusive, m'appelait à son secours. Il me fallait à tout prix me remettre à mes études d'ornithologie, de botanique et de comportement animal, mais avant tout, payer mes dettes.

Une période de travail en ville s'imposait, ce qui ne me souriait guère après toutes ces années en forêt. Ne sachant pas combien il me faudrait de temps pour réorganiser ma vie, il me sembla préférable de me défaire de mes animaux. J'abattis mes dix poules, mon chat et deux chiens et les offris en pâture aux corbeaux du coin. Ces deux chiens, c'était Mascoch, un épileptique et Mamao, une naine. Puis vint le jour du départ. J'avais trouvé à mes meilleurs chiens des maîtres d'adoption, mais il me restait encore deux chiens à abattre. Je décidai de les garder pour effectuer un dernier voyage en traîneau, de mon chalet à celui où m'attendaient mes amis.

Il me semble revivre ce dernier voyage... C'est un soir de pleine lune. Je refais avec mes chiens, que j'aime malgré tout, un trajet que cent fois nous avons parcouru dans des moments plus joyeux. Je croise, pour la dernière fois me semble-t-il, les arbres que j'aime. Je longe les ruisseaux gelés où parfois l'été je venais me rafraîchir. Je revois en pensée les 32 cabanes vides du chenil avec les chaînes pendant aux ferrures de retenue. Chaque cabane porte un nom. Déjà, deux de ces chiens n'existent plus. La route me paraît longue. À plusieurs reprises, à genoux sur les patins, je me mets à pleurer. Je voudrais qu'un éclair géant nous frappe tous à la fois et nous transporte dans un monde plus simple. Mais à force de pleurer, on devient insensible et il nous semble que plus rien ne peut nous atteindre.

Il me reste un sale travail à accomplir. Dès que je vois la lumière de la maison où on nous attend, j'ai la force de parler à mon chien de tête: « Moyac, jee! » Comme le plus magnifique des chiens de tête qu'il est, Moyac quitte la route habituelle et se dirige vers la droite, entre les arbres, marchant sur la croûte de neige gelée. À mon signal, les chiens s'arrêtent. Sans plus de sentiments, je sors mon arme de son étui et amène un des chiens sous le couvert des arbres. C'est Kakon. Un chien traître, vicieux et violent que, par ignorance, j'ai probablement façonné moi-même ainsi. Une balle lui enlève la vie sans douleur ni pour lui ni pour moi. Je rejoins l'équipe machinalement. C'est le jour de la mort ; les poules, Mimine, Mascoch, Mamao, Kakon, il ne reste qu'à tuer Kaya. Kaya, gentille femelle noire et blanche qui s'est dévouée pour moi jusqu'à se démettre la hanche. À cause de cela, elle ne sera plus jamais un bon chien de traîneau. Je lui enlève son harnais et la conduis loin des autres. Il me semble alors que le sort s'acharne sur moi. Je tire sur elle mes quatre dernières balles : elle respire toujours. Elle retourne même en pleurant à sa place dans l'équipe. Je dois lui donner la mort avec l'ancre en métal du traîneau. Péniblement.

En une seconde, je me fis mille réflexions sur la mort animale et j'en revenais toujours à la même conclusion. La mort de Kaya, pour pénible qu'elle était, n'était pas pire que celle des centaines d'animaux que j'avais tués au cours de ma vie. À voir de si près s'éteindre les yeux de Kaya, je compris aussi que la souffrance ne comptait pas pour elle. Ce que je lui enlevais de plus précieux, c'était le droit d'être là sur mon traîneau, le droit à la vie, le droit à l'amour de son maître. Quand Kaya fut morte, la première seconde passée, je laissai à jamais tomber les armes. Je serrai ma chienne ensanglantée dans mes bras et lui promis à l'oreille que, peu importe la vie que je mènerais à l'avenir, plus jamais je ne tuerais volontairement d'animaux. Je repris ma route.

Le lendemain, j'avais un emploi en ville et le surlendemain, tous les chiens qui me restaient étaient placés en adoption. Au cours de l'été suivant, un ami se rendit au chenil Kiakita pour démolir et brûler toutes les cabanes de ce petit village. Puis, à mon tour, je fis une visite au chalet. Je râtelai le terrain et rendis le site à la nature sauvage. Ce chenil qui, avec les noms apposés aux niches, me rappelait un cimetière, avait disparu.

Le 15 mars 1987. Un an jour pour jour après avoir quitté le lac Villiers, j'étais de retour. À 300 m d'altitude, dans un avion de brousse de type *Beaver,* je voyais mon pays se dérouler sous mes yeux. Le même pilote, l'ami Renaud, qui avait dû m'arracher au lac l'an dernier allait bientôt m'y déposer en douceur. Sondant d'abord la glace avec un patin, puis y posant les deux, il fit glisser l'appareil jusqu'à ma porte pour y débarquer l'équipement et la nourriture nécessaire pour un an.

L'effort que m'avait coûté mon départ il y a un an n'avait pas été vain. Grâce au travail de mécanicien que m'avaient trouvé mes amis, je me retrouvais libéré de mes dettes de 7 500 $ et riche de 100 amis et collaborateurs. C'est Jacques Dufresne, ami écrivain et philosophe qui, pendant mon séjour en ville, m'avait suggéré cette façon de financer mes études. Jacques m'avait dit : « Imagine 100 personnes intéressées à partager ce que tu vivras là-bas. Cent personnes qui te donneraient 100 $ par année et à qui, en échange, tu enverrais chaque saison un texte, une sorte de compte rendu de tes travaux, auquel se grefferaient tes impressions. Imagine-toi là-bas, motivé par leur soutien...» L'idée était lancée ! Il me fallut six mois pour établir clairement les modalités de ce qui allait devenir la « Lettre de Claude Arbour » et pour rassembler ces amis-collaborateurs. Alors je fus prêt à repartir pour le lac Villiers. Tous les moments magnifiques que je vous raconterai dans les pages qui suivent, c'est à eux que je les dois.

Chapitre 2

Une montagne pour Acturus

Tout le monde connaît bien le raton laveur, qu'on surnomme « chat sauvage ». Ce mammifère nocturne vit généralement en forêt dans des arbres creux et se nourrit d'un peu n'importe quoi, passant des insectes aux grenouilles, des souris aux œufs, du poisson aux fruits sauvages. Il peut vivre sept à huit ans en liberté. Le raton laveur est enjoué et n'a pas nécessairement peur des hommes. Ainsi, l'île de Montréal abrite plusieurs centaines de ratons laveurs qui, attirés par la nourriture abondante et variée qu'ils trouvent dans les sacs à déchets, tentent de cohabiter avec ces humains qui les nourrissent si complaisamment. Ainsi, la Société canadienne de protection des animaux recueille entre 400 et 500 ratons à Montréal chaque année, en plus des marmottes, mouffettes et autres animaux sauvages ayant le même goût pour les ordures. Tous les adultes bien portants et non domestiqués sont immédiatement relâchés en forêt. Les petits encore accompagnés de leur mère sont aussi relâchés. Restent les orphelins et les animaux apprivoisés... Dans les deux cas, quelqu'un doit dépenser beaucoup de temps et d'énergie pour apprendre ou réapprendre à ces ratons à vivre uniquement des ressources de la forêt.

C'est ainsi qu'au mois de mars 87, je reçus Acturus, un raton laveur mâle âgé de deux à trois ans, au poil très jaune et à la queue cerclée de huit anneaux. Il avait été domestiqué par des citadins, puis confié à MIAOUF, un organisme d'aide aux animaux. C'était maintenant à moi de jouer. Il me fallait d'abord évaluer ce qu'il restait à Acturus de sa sauvagerie d'origine. J'ouvre la cage : Acturus sort lentement en surveillant ses arrières. Il danse un peu sur ses pattes avant pour sonder la neige. En m'apercevant, il se met à grogner et tout en me regardant bien en face, il se cache sous un sapin. Bref, à ma grande joie, Acturus était encore à demi sauvage et serait d'autant plus facile à réhabiliter.

Cet après-midi-là, il faisait assez chaud pour faire une bonne sieste au soleil. Toujours sous son sapin, Acturus se grattait consciencieusement la bedaine. Je m'endormis devant ce spectacle. Quelques minutes plus tard, je me réveillai en sursaut : Acturus glissait en roucoulant ses petites pattes dans ma poche de chemise, histoire de vérifier si je n'y aurais pas oublié quelque gâterie. Pas de chance ! Il me regarda tristement. Je m'assis face à la forêt, Acturus sur les genoux et me mis en frais de lui expliquer la situation : « Ce ne sera pas facile, mon vieux. Tu es ici en réadaptation et tu dois apprendre à chercher ta nourriture dans la forêt. Regarde cette montagne et ce lac immense : je veux que tu en fasses ton pays. Tu dois aussi apprendre à craindre les humains. Certains peuvent t'abattre parce que tu as volé une pomme dans leur glacière ou pour les 12 $ que vaut ta peau. Fais donc attention et cesse de nous faire confiance ! »

Pendant les semaines suivantes, Acturus s'aperçut qu'il était tombé sur un thérapeute radical. Pas de restes de table qui traînent autour de la maison, pas de caresses, pas de nichoir non plus. Débrouille-toi, mon vieux ! Bien sûr, je ne m'attendais pas à ce qu'il retrouve tout de suite ses instincts de chasseur. De temps en temps, je plaçais à son insu sur son chemin des fruits et quelques grenouilles ou des poissons dans un bac d'eau, pour l'inciter à pêcher. Mais cette méthode était encore trop douce : Acturus continuait de me traiter familièrement. Pas moyen, le soir, de braquer en paix ma lunette sur les étoiles sans qu'Acturus essaie de grimper sur le télescope, me faisant immanquablement perdre de vue la galaxie que j'avais mis une heure à trouver dans le ciel !

—Non, non, va-t-en !

—Quichee... ! Grououou !

Il ne reculait pas d'un centimètre. Je décidai alors de l'enfermer quelques jours. Il ne l'entendait pas ainsi et je dus utiliser un vieux truc de chasseur pour réussir à l'attraper : une grosse caisse de bois appuyée sur un bâton, lui-même attaché à une corde, avec des sardines placées sous la caisse comme appât. Et zip ! Dès que mon raton prend une bouchée de sardine, je tire sur la corde, la caisse retombe et Acturus est captif et furieux ! Je lui fis passer trois jours dans le vieux poulailler et cela lui fit grand bien. Lorsqu'il en sortit, les ponts étaient rompus entre lui et moi. Jamais plus je ne pus le toucher ni même m'approcher à moins de 10 m de lui sans qu'il se sauve ou se mette à gronder, prêt à attaquer. Dans les semaines qui suivirent, je le vis de moins en moins. Je croisai sa piste sur les dernières plaques de neige fondante ; puis, j'aperçus dans la boue les petites traces d'un raton cherchant des grenouilles. Je le surpris même, un matin, en train de manger des œufs dans le nid d'une gélinotte. « Hum ! Hum ! Tu es dur, mon vilain ! »

Il avait comme nouveau domaine une montagne et deux lacs entourés d'arbres de toutes essences, dont plusieurs vieux cèdres creux. Au sommet de cette montagne, une érablière à bouleaux jaunes, du type que l'on retrouve au nord des Laurentides. Bientôt, cette montagne fleurirait, les fleurs deviendraient bleuets, noisettes, framboises, airelles. Quoi de plus beau comme rêve de raton? Surtout qu'en même temps qu'Acturus, je relâchai dans les parages deux petites femelles de son espèce!

Au cours des mois qui suivirent, je reçus aussi de jeunes ratons orphelins, souvent non sevrés, qu'il me fallait allaiter à la main et dorloter comme si j'étais leur propre mère. Il fallait ensuite leur montrer à manger et déchirer pour eux leur nourriture en tout petits morceaux, jusqu'à ce qu'ils sachent manger tout seuls (à huit semaines, environ). Vers cet âge, les jeunes commencent à copier les comportements qu'ils voient autour d'eux et il est alors capital de briser les liens qui vous unissent à eux et de leur faire fréquenter leurs congénères. Je gardais donc les ratons par groupes de quatre à six par enclos, les regroupant selon leur âge et leur caractère, et je les nourrissais le plus naturellement possible: 50% de grenouilles et de poissons (surtout de la ouitouche, un petit poisson très abondant au lac Villiers et dont les ratons raffolent: ils en mangent 2 à 4 kg par jour!), 25% de fruits, souvent des framboises ou des bleuets sur pied, 25% de moulée pour chat ou chien, sans oublier un petit supplément de vitamines. Je veillais à ce que les ratons conservent de la méfiance ou du moins de l'indifférence à l'égard de l'homme. Pas question de les inviter à manger dans ma main. Au contraire, il fallait user de stratégie pour qu'ils n'associent pas humain et nourriture : mettre leur nourriture dans l'enclos pendant leur sommeil, varier les heures de repas, etc. Il fallait aussi les inciter à mener une vie nocturne en les empêchant, entre autres, de manger ou de se baigner le jour. Une fois tous ces objectifs atteints, je relâchais les ratons, alors âgés de quatre mois.

Mais une question se posait : pourraient-ils hiberner tout seuls ? La seule manière d'en être certain serait de les garder sous observation dans un enclos pendant leur premier hiver. En les nourrissant abondamment pendant l'automne et en réduisant graduellement leurs portions dès les premières neiges, on les forcerait à économiser leur énergie et ils sombreraient probablement peu à peu dans un profond sommeil.

Je crois qu'on pourrait aussi utiliser de vieux ratons irréversiblement domestiqués mais qui hibernent normalement et qui accepteraient de prendre des jeunes avec eux. Ces vieux ratons pourraient vivre à l'état demi-sauvage dans des enclos en forêt et « enseigner » aux jeunes la manière de bien hiberner. L'idée est lancée. Si cette méthode fonctionnait, la réhabilitation du raton laveur serait beaucoup plus simple et il faudrait en euthanasier beaucoup moins. Mais le mieux serait encore que nous, humains, apprenions à vivre sans prendre toute la place. Ce sont nos déchets qui attirent ces animaux dans les villes où on les juge ensuite indésirables.

À l'automne 1987, je dus cesser de réhabiliter les animaux sauvages égarés en ville, malgré mon désir de tous les sauver. Après six mois, il me fallut bien admettre, 53 ratons, 2 marmottes et 8 mouffettes plus tard, que ce travail m'accaparait complètement. Même en m'y mettant à fond, je ne pourrais pas empêcher le nombre de ces citadins indésirables de croître d'année en année...

Chapitre 3

Le grand inventaire

Alors que j'étais encore à Joliette et que les inscriptions à la « Lettre » arrivaient nombreuses, me confirmant le succès de mon projet, il m'arrivait d'être un peu inquiet. Je redoutais la paresse qui me gagnerait peut-être lorsque je serais de retour au chalet. Seul en forêt, il est quelquefois difficile de se motiver, surtout quand le garde-manger est plein! D'autre part, je me demandais par quelle étude j'allais commencer.

Une fois revenu sur place, je me rendis compte que je manquais de données sur le territoire lui-même. Pour bien interpréter le comportement du balbuzard, il me fallait plus d'informations sur les espèces de poissons habitant les lacs des alentours puisque cet oiseau se nourrit exclusivement de poisson. De même, l'inventaire des espèces de plantes et d'animaux de mon territoire m'aiderait à comprendre les liens subtils qui les unissent les uns aux autres et leur permettent de survivre. La reproduction de certaines fleurs sauvages, par exemple, me paraît assez aléatoire. En effet, la plupart des plantes se reproduisent au moyen de graines qui sont produites lorsque l'organe femelle de la plante, le pistil, est fécondé par le pollen provenant de l'organe mâle, l'étamine. Chez certaines espèces, le pistil et les étamines se trouvent dans la même fleur ; chez d'autres, ils se trouvent dans des fleurs différentes. De toutes façons, le pollen doit être transporté des étamines au pistil, soit par le vent, les insectes, les oiseaux ou par un autre moyen. La plante, passive, attend le moment où quelqu'un ou quelque chose viendra la féconder et assurer ainsi l'avenir de l'espèce.

En théorie, chaque année il est possible qu'une espèce disparaisse, faute d'un moyen de transport pour son pollen. Aussi les plantes rivalisent-elles d'attraits pour les insectes. Toutes les ruses sont permises : les plus belles couleurs, du nectar sucré, des traquenards terribles. Le trille dressé, par exemple, est une des premières plantes à fleurir dans les bois, alors que la neige n'est pas encore tout à fait fondue. À cette époque de l'année, la plupart des insectes ne sont pas encore très dégourdis mais la mouche nécrophage, elle, est déjà ravivée par les rayons plus chauds du soleil. Voilà donc que le trille, une des rares plantes devant être fécondées au tout début du printemps, a trouvé le moyen d'utiliser un des seuls insectes disponibles. Comment ? En donnant à ses pétales une couleur et une odeur de viande putréfiée. La mouche s'y précipite, croyant avoir trouvé le morceau de viande tant recherché. Elle l'inspecte à fond et repart quand elle se rend compte qu'elle s'est fait avoir, non sans s'être enduite de pollen qu'elle ira porter sur le pistil d'un autre morceau de viande-fleur.

De telles observations me troublent : est-il permis de croire que le trille est devenu rouge et malodorant pour plaire aux nécrophages ? Dans notre monde scientifique, c'est déjà presque un crime d'accorder de l'intelligence aux animaux ; on est très loin d'en accorder aux plantes ! Soit dit entre nous, je rêve qu'à force de journées passées couché par terre à observer les fleurs, l'une d'elles me donne la preuve indéniable qu'elle réfléchit. Toute forme d'exploitation de la nature par l'homme serait alors à repenser...

Mais revenons-en à mon premier projet, l'étude de mon territoire. J'avais entendu parler d'une entreprise à laquelle participaient des bénévoles de partout au Québec et qui avait pour but de recenser tous les oiseaux de la province et de définir à quelle latitude niche chacune de ces espèces. Chaque bénévole devait choisir un territoire de 10 km^2 et faire une fois par mois, d'avril à août, l'inventaire des espèces d'oiseaux qui y vivent. Après un rapide (trop rapide !) calcul mental, je me dis que, puisque je peux identifier environ la moitié des oiseaux qui vivent près de chez moi à leur chant, je pourrais faire assez facilement l'inventaire de 10 carrés de 10 km^2 en un seul été. Et pourquoi, tant qu'à y être, ne pas faire aussi la liste des plantes, des mammifères, des poissons, des reptiles et des amphibiens de chaque carré, sans oublier de relever les types de sols et de minéraux qui s'y trouvent ?

J'avais vu grand ! Le territoire que j'ai arpenté sans arrêt pendant deux étés de suite mesurait 1 000 km^2 (la distance de Montréal à Sept-Îles par 1 km de large). Comme il me fallait jusqu'à une journée de canot et de portage pour atteindre certains des carrés, je profitais du voyage pour identifier sans relâche tout ce que je voyais. Je marchais sur les pierres des ruisseaux, le canot sur le dos et de l'eau jusqu'au ventre tout en examinant les plantes aquatiques. Je mangeais en identifiant des arbres et tâchais de reconnaître les chants des hiboux en m'endormant lorsque je campais sur le terrain ! Certains soirs, je me disais que le Vietnam, ça ne devait pas être tellement pire que ça... Il me fallait un mois pour terminer l'inventaire des 10 carrés, et le mois fini, je recommençais ! Au bout de deux étés de travail, j'avais répertorié 292 espèces de plantes, 135 d'oiseaux, 38 de mammifères, 10 de poissons et 9 de reptiles et d'amphibiens et je décidai de publier cette liste[1] pour qu'en refaisant cet inventaire dans quelques années, on puisse déterminer avec précision quelles espèces ont prospéré et lesquelles ont dépéri.

En parcourant mon territoire, je découvrais de nouvelles montagnes, des lacs, des forêts aussi et j'allais de merveille en merveille, ce qui me faisait oublier la fatigue. Je rencontrais des espèces de plantes et d'oiseaux qu'on ne retrouve pas d'habitude dans des régions aussi nordiques. Un jour, je vis un couple de tangaras écarlates, venu nicher dans une érablière qui survit elle-même miraculeusement près de chez moi (l'érable à sucre ne croît pas normalement au nord du lac Saint-Jean et du Témiscamingue[2]. Un autre jour, j'eus la surprise d'observer un couple de cormorans à aigrettes, oiseau familier du fleuve Saint-Laurent et des bords de mer. Une petite colonie de cormorans vit aussi à la baie James mais je n'en avais jamais observé ici, en pleine terre... Une fois, je vis une spiranthe de Romanzoff, une orchidée splendide, éclatante de beauté au milieu d'une tourbière. Une autre fois, au détour d'un

---

1 Arbour, C. 1989, *Faune et flore du Nord de Saint-Michel-des-Saints.*

2 Frère Marie-Victorin, *La flore laurentienne*, Presse de l'Université de Montréal, 1964, 925 pp.

sentier, je découvris un jardin sauvage de cypripèdes acaules, une autre espèce d'orchidée. Il y en avait de toutes les teintes de blanc, de rose et de rouge... Je baptisai ce sentier « boulevard des orchidées », en priant pour que jamais un boulevard ne traverse ce paradis ! Je ne faisais pas tous les jours des découvertes aussi étonnantes mais les espèces plus communes d'animaux et de plantes m'offraient largement de quoi m'émerveiller : un iris dressé au milieu du carex et des rochers sur le bord d'un lac sauvage, une famille de huarts à collier glissant sans bruit sur l'eau, à l'aube, puis soudain le petit huart sautant sur le dos de son père en m'entendant approcher en canot...

Un matin, je reçus une récompense à la mesure de mes efforts. Ce jour-là, il faisait beau. Levé à 5 h, je partis pour la zone 6, la plus difficile à atteindre. Après 8 km de canot qui me rappelèrent douloureusement que j'en avais fait 30 la veille et 50 l'avant-veille, j'arrivai à une série de portages et de petits lacs, s'étalant sur quelque 10 km et conduisant à la partie sud du lac Moyre. Il me fallait ensuite traverser le lac en canot. C'était la première fois que je voyais ce très beau lac en zigzag long de 13 km. Les berges sans plages, couvertes de plantes jusque dans l'eau, m'apprirent que le niveau du lac restait bien constant. Alors que j'approchais du milieu du lac, le tonnerre se mit à gronder. J'arrivai heureusement vers 13 h au chalet du « Club du lac Fou » et dînai tranquillement de pommes, de bananes et de noix pendant que l'orage passait. Je repris la route lorsque le soleil fut revenu. Il était 14 h et j'étais heureux de n'avoir que quelques kilomètres à franchir pour atteindre le bout du lac. Ce que je vis alors me rappela à mon devoir... Le tonnerre avait mis feu à la forêt !

Je traverse le lac à toute vitesse et m'approche de l'arbre en flammes à 200 m de la berge. En fait de feu, j'étais servi : l'arbre, un vieux bouleau sec et spongieux de 50 cm de diamètre et environ 10 m de haut, flambait tout entier et déjà la végétation autour de l'arbre était en flammes. En entassant des feuilles mouillées près de l'arbre, je réussis à éteindre le feu au sol. Je jette le tronc à terre pour empêcher les flammes de rejoindre un sapin voisin, ce qui a pour effet d'éteindre les flammes, mais aussi de répandre des tisons sur 10 m de long et 2 m de large! Je cours au canot et, me servant de vieux sacs de plastique comme réservoirs, je me mets à arroser les flammes.

Après cinq ou six voyages du lac à l'arbre, le feu était enfin maîtrisé mais j'étais noir de suie, exténué et brûlé à une main... Je me rappelai alors que j'étais à 18 km de chez moi, sans vivres et sans couvertures pour dormir. Deux kilomètres plus loin, l'orage reprit de plus belle et me suivit le reste du voyage. C'est toujours dans ce genre de circonstances qu'on prend les mauvaises décisions. Au bout du lac Moyre, j'avais le choix entre 1 km de portage et 500 m de navigation difficile dans un ruisseau. Je suivis le ruisseau sans ennuis sur 250 m, soulevant de temps en temps le canot pour franchir une pierre ou un tronc d'arbre. Le reste fut moins drôle: je dus traîner le canot de cascade en cascade, me coinçant les pieds et les mains entre les pierres, tombant dans des trous de 1 m 50, etc. Je n'étais pas joyeux... Seulement, il y a des avantages à tout. D'abord, ces bains forcés nettoyaient mes vêtements couverts de suie. Et surtout, il y avait sur ce parcours des centaines de rochers coiffés de mousse verte sur lesquelles fleurissaient des violettes. Un rocher de violettes mauves, un rocher de violettes blanches, puis, sur un autre, un mélange de couleurs à travers lesquelles cascadait l'eau blanche. L'orage arrosait l'ensemble, faisant tout briller... Bien sûr, je ne choisirais pas de mon plein gré de revivre une journée pareille, mais je souhaite que ça m'arrive encore malgré moi!

J'atteignis enfin le lac Castelveyre. Il ne restait plus que 8 km de canot et 1 km de portage entre mon lit et moi... La pluie avait cessé et je pus enfin réfléchir aux événements de la journée. Ce feu s'était déclaré dans une zone où la Consolidated Bathurst s'apprêtait à faire des coupes. J'avais empêché un incendie de cause naturelle de raser une vieille forêt. Je laissais ainsi le bois en pâture à une compagnie forestière avide de pulpe qui se fichait bien de quelques violettes. Bientôt, celles-ci seraient piétinées par des débusqueuses aux pneus plus grands qu'un homme, capables de passer par-dessus des arbres de 15 cm de diamètre en les écrasant. Ces machines ne dévieraient pas de leur route pour une cabane de castors habitée ni pour un nid...

Chapitre 4

Avril : le retour annuel des balbuzards

De tous les animaux que j'ai connus dans ma vie, je dois avouer une préférence pour un certain couple de balbuzards...

C'était la fin de mon premier hiver en forêt. Depuis les premières neiges et le départ des derniers oiseaux pour le sud, six mois avaient passé. La neige avait fondu très vite cette année-là et déjà, au milieu d'avril, tout était inondé. Il ne restait plus que 45 cm de glace sur le lac et j'avais la ferme intention de terminer tous mes travaux domestiques printaniers (nettoyage du terrain, bois à fendre et à corder, ménage du chenil, etc.) pour être libre en même temps que le lac. Des cris stridents me firent changer mes plans...

Levant la tête, j'aperçus un couple de balbuzards qui fêtait son retour au lac Villiers. Les oiseaux survolaient le lac à très haute altitude et criaient, comme pour affirmer qu'ils étaient les maîtres de ce territoire. Ils en étaient bien les maîtres, en effet. Le balbuzard, aussi appelé aigle pêcheur, n'a aucun prédateur. Il peut vivre, voler, crier, planer sans crainte de se retrouver sous les crocs des autres! Les 15 derniers jours d'avril furent magnifiques: peu de pluie et de nuages, pas de vent, des jours chauds et ensoleillés. J'ai donc passé ces deux semaines assis sur le toit de mon chalet, à regarder les outardes, les merles et les pinsons qui revenaient du sud, la glace du lac qui fondait et monsieur balbuzard qui tentait de séduire sa dame.

Devant mon chalet, le lac est large d'environ 1 km et juste de l'autre côté se trouvait le nid de mes deux aigles. Je pouvais donc l'observer au télescope sans bouger de chez moi. À leur arrivée du sud, les balbuzards ne purent se nourrir tout de suite, le lac étant gelé. Ils ne semblaient pas en avoir envie, tout occupés qu'ils étaient à réinvestir leur territoire. La femelle, que l'on peut reconnaître à sa poitrine blanche plus tachetée de brun que celle du mâle et à sa taille plus petite, se rendit au nid et ne le quitta plus, si ce n'est pour voler en cercle autour de son aire en criant et revenir se poser aussitôt. Le mâle, lui, se tenait perché dans les arbres voisins et s'absentait parfois pour quelques heures. À la fin de la première semaine, je le vis faire ses premières avances à la femelle, avances qu'elle refusait toutes catégoriquement en le rejetant hors du nid. Les jours suivants, le mâle essayait de plus en plus souvent de s'introduire dans le nid, faisant jusqu'à 25 tentatives par jour, toutes ratées. La frustration gagnait le pauvre mâle. Après une semaine d'échecs répétés, pris de colère, il s'élança comme pour plonger sur une proie. Son adversaire n'était pas un poisson, toutefois, mais un gigantesque pin mort sur lequel il fonçait à plus de 50 km/h.

Dans un craquement que je pus entendre à 1 km de là, le mâle venait de saisir une branche de 5 cm de diamètre... L'écorce vole en éclats, la branche casse. Le mâle, un peu sonné par l'impact, se secoue et se dirige vers le nid. Volant sur place, en sifflant, à quelques mètres au-dessus de la femelle, il lui présente dans ses serres cette branche d'un mètre de long (i.e. deux fois plus grande que lui !). La femelle, sidérée par l'expression de tant de puissance et de désir laisse le mâle se poser lentement dans le nid. Elle saisit cette branche dans son bec et l'entremêle aux autres branches du nid. Fou de joie, le mâle repart aussitôt... Il répéta cette manoeuvre une vingtaine de fois ce jour-là. Le soir, les deux oiseaux dormirent dans le même nid tandis que d'énormes blocs de glace commençaient à s'entrechoquer sur le lac.

Environ 18 jours après la formation du couple, un premier œuf descend normalement dans l'oviducte de la femelle. Celle-ci s'accouple puis recouvre l'œuf d'une coquille. Elle pond cet œuf le lendemain, fait fertiliser le second, le recouvre puis le pond. Elle dépose ainsi dans le nid deux à quatre œufs de couleur crème tachetés de marron, qu'elle ne commence pas à couver tant que le dernier n'est pas pondu, afin que tous les œufs éclosent en même temps.

La femelle se mit donc à couver après s'être accouplée durant trois jours. Dès lors, le mâle se chargea de rapporter la nourriture au nid, ne remplaçant que très rarement la femelle à la couvaison. Après 35 jours d'incubation, les œufs auraient normalement dû éclore. Que se passait-il ? La femelle couvait depuis bientôt 38 jours et délaissait de plus en plus souvent son nid pour de longues périodes. Puis, elle cessa de couver. Quelle était la cause de cette stérilité ? Mercure ? DDT ? Autre chose ? Allez savoir. Les balbuzards passent l'hiver quelque part le long des côtes d'Amérique du Sud. Bien malin qui peut dire où et comment ils s'empoisonnent.

L'année suivante, le couple changea de nid, s'installant à 1 km derrière mon chalet, près d'un autre lac. Je n'eus pas beaucoup de temps pour les observer, cet été-là. C'était un été de travail, de finances qui vont mal et de lutte contre le braconnage.

À ce sujet, j'ouvre une petite parenthèse. Des agents de conservation de la faune, il en vient quelques-uns par année au lac Villiers et ils font très bien leur travail. Seulement, pour un braconnier d'expérience, il est assez facile de les éviter, les agents ne pouvant pas être partout à la fois. Je suis heureusement équipé de bons appareils photographiques et de magnétophones très sensibles et je peux rester très longtemps assis au milieu des maringouins et des mouches noires pour le seul plaisir de prendre un braconnier sur le fait ! Les gens du coin le savent et passent chez moi pour me raconter les agissements louches dont ils sont témoins. Si bien que braconniers et autres destructeurs d'environnement, me considérant comme un délateur en liberté, finissent par se décourager !

Mais revenons-en à nos balbuzards. Les quelques observations que je pus faire pendant le troisième été me confirmèrent que les oiseaux avaient couvé consciencieusement leurs œufs, sans résultat. Si le couple était à nouveau stérile l'année suivante, il faudrait que j'aille chercher les œufs et que je les fasse analyser...

Je n'habitais pas au lac Villiers l'été qui suivit, mais des amis m'apprirent que trois petits étaient nés du couple de balbuzards après 36 jours de couvaison. Les petits restèrent au nid pendant 60 jours, puis s'envolèrent vers leur retraite tropicale pour l'hiver. Ouf !

Au printemps suivant, curieusement, un balbuzard solitaire arrivé le 18 avril s'appropria le nid. J'étais convaincu que c'était « mon » mâle et je commençais à me demander si la femelle était toujours vivante. Entre l'Amérique du Sud et le lac Villiers, il y a beaucoup d'obstacles à traverser, surtout au Québec. En effet, chaque printemps surgit le problème des piscicultures. Des éleveurs de poisson, propriétaires des rares étangs qui soient dégelés à cette époque de l'année, prennent les armes pour protéger leurs truites contre les oiseaux piscivores qui voudraient s'en nourrir .

Malgré ces obstacles, le 27 avril « mon » couple revint au nid, chassa l'oiseau solitaire et s'installa. Bien que j'aie trouvé triste le sort réservé à ce malheureux, j'étais très content de l'événement. Cette année-là, tandis que la femelle gardait le nid, le mâle pêcha pour elle pendant les deux semaines suivant leur arrivée. Ce traitement de faveur sembla suffisant pour déclencher chez elle le processus de la ponte et il n'eut pas à lui faire les démonstrations spectaculaires des années précédentes. Il pêchait cependant avec tant d'ardeur que le nid fut bientôt plein de poissons-cadeaux.

Des corbeaux qui cherchaient péniblement de quoi nourrir leurs petits saisirent l'aubaine. Ils ramassèrent d'abord les poissons tombés au pied de l'arbre où nichaient les balbuzards, puis trouvèrent la source de cette manne. Astucieux, ces corbeaux ! Je les vis ensuite se mettre à deux pour dévaliser les aigles. L'un des corbeaux s'installait dans un arbre voisin et l'autre provoquait la femelle balbuzard, allant même jusqu'à saisir les plumes de ses ailes. Quand, très offusquée, celle-ci se lançait à la poursuite du malotru dans des acrobaties aériennes dignes de *La guerre des étoiles,* l'autre corbeau attaquait le nid et se bourrait le bec de poissons qu'il rapportait à ses petits ! Quelques heures plus tard, les pillards revenaient pour un nouveau vol à la tire. Évidemment, ils n'attaquaient le nid que lorsque le mâle était absent. Lorsqu'il était là, les corbeaux passaient plutôt à 3 m au-dessus du nid en croassant : « À tantôt, à tantôt ! » Tandis que j'observais en riant les pauvres aigles défendant leur butin, une question me trottait dans la tête : mes balbuzards seraient-ils fertiles cette année ?

Chapitre 5

Juin, juillet : le temps des naissances

Début juin. Le soleil rallonge sa course dans le ciel. À la latitude du lac Villiers (47 ° 00′ N), les jours durent maintenant 18 heures. Partout, il y a des naissances : éclosions, accouchements, germinations. Tout se reproduit, de la truite à l'orignal, en passant par les crapauds, tout. Les populations se multiplient par 2, 4, 8, 100, par un million dans le cas des insectes piqueurs, je vous prie de me croire ! On en voit, on en renifle, on en avale, des maringouins, des mouches noires, des brûlots et des mouches à orignal et eux nous piquent autant qu'ils peuvent.

Par un bel après-midi ensoleillé, en rentrant d'une excursion en canot, j'accostai au beau milieu d'une colonie de scirpes hudsoniens (plantes aquatiques couvrant de vastes étendues au bord des lacs) et j'assistai à la naissance de milliers de libellules. Les libellules font partie de l'ordre des *odonata,* ce qui signifie « dent » en grec, par référence aux dents qu'elles portent sur leurs mandibules. Toutes les libellules pondent leurs œufs à la fin d'août. Par contre, tous les œufs n'éclosent pas au même moment. Chez certaines espèces, ils éclosent quelques semaines après la ponte, chez d'autres, en hiver sous la neige, chez d'autres enfin, à la faveur du printemps suivant. L'œuf éclôt, donnant naissance à une nymphe aquatique qui respire au moyen de branchies. Elle se nourrit de petits organismes aquatiques et se déplace en faisant onduler son corps ou en propulsant un jet d'eau par l'anus. Quand la nymphe atteint sa maturité, elle grimpe sur une plante et se fixe à la tige, à 10 cm au-dessus de la surface de l'eau. À ce stade, la nymphe peut encore, en cas de danger, se laisser tomber à l'eau et fuir vers le large. Par contre, une fois amorcée sa conversion en libellule, il est trop tard. D'abord, sa carapace se déchire du cou à la queue, puis, lentement, une libellule sort de cette armure. Elle arrache sa tête du masque, puis ses pattes une à une, et se laisse tomber sur le dos, suspendue par son abdomen long et mince. L'insecte utilise ensuite ses pattes pour s'extraire complètement de la carapace vide et une fois sortie, atteint sa taille adulte en moins d'une demi-heure et peut enfin voler. Imaginez ce que ça doit être de se sentir soudain des ailes après avoir passé six mois enfermé dans une armure, risquant à tout moment de servir de pâture aux poissons du lac !

Après les libellules, les naissances se succédèrent. Une femelle chevalier branle-queue, un oiseau de rivage, mit trois petits au monde sur la plage près du chalet. Des bébés hirondelles des granges salirent les vitres. À quelque 30 m derrière la maison, un pic flamboyant nourrissait sa couvée. Plus haut dans la montagne, c'était un pic chevelu. Les bébés marmottes faisaient la course aux levrauts devant chez moi. Des canes nageaient sur le lac, toutes suivies de 8 ou 10 petits qui leur grimpaient sur le dos au moindre émoi. En marchant dans la forêt, je rencontrais des nichées de gélinottes huppées, de parulines, de viréos, de moucherolles, etc. J'avais compté sur le lac Villiers trois couples de huarts à collier, ce grand ténor de nos nuits d'été : chaque couple avait produit deux petits. Une des femelles avait pondu deux œufs sur la plage d'une petite île, près de chez moi. Elle est restée 24 jours couchée sur ses œufs, en plein soleil. On la voyait haleter tous les après-midi. Aussitôt les poussins sortis de leur coquille, ils se sont précipités à l'eau où leur père les attendait. Depuis ce temps, le brave mâle essaie d'intimider tout être qui s'approche des petits. Il gonfle ses plumes et tout en lançant son cri de guerre, fonce sur l'intrus et s'arrête à 3 m de lui, dressé sur l'eau, le cou plié, menaçant, tandis que la femelle profite de cette diversion pour mettre les deux petits à couvert.

Il y eut aussi les balbuzards. Le 29 juin, j'installe la lunette d'approche pour pouvoir observer le nid. Il pleut et il vente « à décorner les bœufs à Rosaire ». La femelle semble couver comme elle l'a fait depuis les 30 derniers jours. Soudain, le mâle rentre au nid, tenant un poisson dans ses serres. La femelle se penche sur le bord du nid. Elle accepte l'offrande du mâle et le remercie de quelques croisements de bec. Elle se met alors à déchiqueter le poisson en petits morceaux. À ce moment, deux aiglons tendent le cou vers leur mère... Je me sens comme un nouveau papa dans un couloir d'hôpital. J'ai tant redouté que quelque accident — la foudre tombant sur le nid, des vents violents le jetant par terre ou un autre cataclysme — ne détruise les œufs ! Il y a si peu de balbuzards et chaque œuf fertile est si précieux... Encore une fois, la chance a permis que naissent deux petits aiglons bien en vie qui devront se battre pour le rester.

Tout heureux que j'étais de la naissance des aiglons, une autre naissance me ravit encore plus. Un soir, je campais au lac Pin Rouge, en compagnie d'un jeune ami qui s'intéresse beaucoup à la nature. Ce jour-là, nous avions parcouru environ 30 km en canot en identifiant des plantes. En descendant un ruisseau, nous avions soudain été entourés de rosiers en fleurs. Vous avez bien lu, des rosiers. Des rosiers brillants qui poussaient le long du ruisseau sur une distance de 500 m. Une fois la surprise passée, nous avons sauté sur nos livres et avons identifié ces plantes. C'est, selon Marie-Victorin, une espèce assez rare, *Rosa nitida.* Nous avons pris la liberté d'en cueillir chacun une, que nous avons humée souvent au cours de la journée.

Ce soir-là, à la brunante (vers 22 h), nous étions restés assis près du feu après le souper pour siroter un thé brûlant et refaire le monde en paroles, rêvant que la planète serait sauvée du désastre par des génies écologistes qu'on aurait enfin crus. À la troisième tasse de liquide fumant, un chant nous glaça sur place. Le chant des loups, le chant ultime de toute la forêt. Le mâle dominant entonna l'hymne du Nord, suivi de toute la bande, et quand ils s'arrêtèrent, à bout de souffle, on entendit clairement les cris aigus des louveteaux. Les loups aussi se multipliaient, eux qu'on a pourtant tenté d'exterminer par tous les moyens, y compris en laissant traîner dans les bois des carcasses de chevreuils empoisonnées. Celui qui n'a jamais eu la chance d'entendre les loups ne peut s'imaginer la beauté, la fierté de leur chant. Ils chantèrent une partie de la nuit. Quand nos yeux se fermèrent malgré nous, les loups chantaient toujours. Cette nuit-là, plus besoin de rêver !

Chapitre 6

Vole, Thibon !

Un certain matin de juillet me réservait une belle surprise. Mon ami Guy Fitzgerald avait réussi à soigner un balbuzard à qui un pisciculteur impatient avait logé deux plombs dans l'aile. Restait à le remettre en forme : pour survivre en milieu naturel, un oiseau de proie doit pouvoir voler avec une maîtrise parfaite et plonger à des vitesses frisant les 100 km/h. Sinon, impossible pour lui de capturer ses proies, donc de se nourrir.

Le 25 juillet, Guy et un ami, Mario, arrivent enfin au chalet avec l'oiseau, après 10 heures de route. Ce dernier était au moins aussi exténué que mes deux amis. Après avoir inspecté les lieux, Guy suggéra que l'on place temporairement l'oiseau dans une cage à raton laveur (préalablement vidée de ses ratons !). Cet enclos de 2 m 50 sur 1 m 25 et haut de 2 m avait une lacune : il était fait de grillage à clôture et l'oiseau risquait d'abîmer les plumes de ses ailes en essayant d'y voler. On décida de recouvrir le grillage de draps et de couvertures. Toute la literie fut réquisitionnée. On installa l'oiseau sur un perchoir. Ce soir-là, il ne voulut pas manger et je dus le maintenir de force pendant que Guy, son vétérinaire personnel, le nourrissait à l'aide d'une seringue et d'un long tube que nous faisions pénétrer dans son estomac bien contre son gré. Plus tard, après que nous ayons soupé d'une façon moins traumatisante, Guy m'instruisit du problème des balbuzards gardés en captivité.

« C'est simple, un balbuzard ne peut pas vivre en captivité. C'est déjà un miracle que celui-ci ait survécu deux mois. La captivité et les gavages causent un stress terrible aux balbuzards, qui sécrètent alors des doses d'adrénaline telles qu'elles finissent par provoquer un arrêt cardiaque. Au

Québec, on n'a encore jamais réussi à soigner un balbuzard et à le réinsérer dans son milieu naturel. Il n'y a qu'en Pennsylvanie qu'on y arrive, dans un centre de réhabilitation pour les oiseaux qui a la chance d'avoir un *starter* (un balbuzard handicapé qui ne peut retourner à l'état sauvage et qui tient compagnie à l'oiseau blessé le temps que dure sa réhabilitation). Notre seule chance de sauver cet oiseau est qu'il ne ressente plus la captivité ni la présence humaine jusqu'à ce qu'il puisse voler. Il lui faudrait un grand enclos (9 m sur 6 et haut de 3 m) près du lac avec un mur en bois pour l'isoler du chalet. Les autres parois pourraient être faites de filet de pêche. »

Le 26 juillet, je réveille frère, beaux-frères, neveux et amis, venus me rejoindre au chalet pour la grande corvée. Sitôt le déjeuner pris, on trace sur le sol les limites de l'enclos en y incluant un plan d'eau de 9 m^2. La tronçeuse est mise en branle, des sapins morts sont transformés en madriers et mes menuisiers ont vite fait de construire le mur de l'enclos, tandis que Guy nourrit l'oiseau de petits bouts d'éperlans servis à la pincette. Mon voisin,

Pierre Deschamps, nous offre les 260 m de filet de pêche qu'il nous manque et le surlendemain, vers 14 h, l'enclos est enfin prêt : un beau grand enclos à l'abri du vent et des importuns, avec un perchoir au sol et un autre plus élevé, à trois branches. Et surtout, sans toit. Après tout, notre oiseau saurait mieux que quiconque quand il serait prêt à reprendre sa liberté...

Guy nourrit l'oiseau, le sortit de sa cage et l'emmena lentement près du lac. L'aigle regardait l'eau, les montagnes et le ciel comme s'il n'en revenait pas de tout cet espace. J'ouvris la porte de l'enclos et Guy y déposa le rapace. Après cinq secondes d'immobilité, l'oiseau s'élança vers la liberté, oubliant son aile droite brisée. Le décollage se solda par une culbute. Déçu, notre oiseau s'installa sur le perchoir à ras de sol et fixa le lac. Le ciel était clair et le soir, une aurore boréale d'une rare beauté nous consola de notre fatigue et fit oublier à notre balbuzard son envol raté.

Le 29 juillet, Guy devait repartir. Il me recommanda de laisser 24 heures à notre aigle pour pêcher de lui-même, sans quoi je devrais le nourrir de force. Ce soir-là, notre oiseau fit une tentative d'envol qui aboutit dans l'eau. Il revint se percher, trempé. Il ventait et visiblement, l'oiseau avait faim et froid. J'avais mis 15 poissons vivants dans son enclos, certains dans l'eau, d'autres sur le sable. Il n'y avait pas touché. Or, je voulais qu'il mange, mais pas tout à fait de ma main. Je pris un poisson vivant et m'avançai vers lui en le lui présentant. Il avait peur de moi. Il tenta bien de le saisir avec son bec mais le poisson était trop gros. Il cessa ses essais, ne songeant plus qu'à me fuir, reculant sur son perchoir. Au moment où il leva une patte, je mis le poisson où je croyais qu'il la reposerait. Il mit la patte dessus et serra très fort. Je sentis qu'il avait compris et quittai l'enclos au plus vite. L'oiseau serrait la patte en regardant le poisson mourir entre ses serres et cela le stimulait. Il se mit à déchiqueter le poisson avec son bec et le mangea au complet. Victoire!

Je passai les trois semaines qui suivirent à l'observer, tandis qu'il essayait de pêcher et de voler. Au début, je laissais les poissons vivants sur le sable puis, je les mis dans l'eau de l'enclos pour que l'oiseau les capture lui-même. Il ne plongeait pas vraiment sur ses proies mais bondissait sur elles, ne s'aidant de ses ailes que pour ressortir de l'eau. Estimant qu'il s'y prenait ainsi parce que l'eau n'était pas profonde, je conclus qu'il était apte à la pêche. Pour réapprendre à voler, il s'entraîna d'abord à plonger vers le sol du haut du plus grand perchoir et à atterrir sans culbuter.

Il allait ensuite s'installer sur un perchoir plus bas, déployait ses ailes face au vent pendant une minute et les secouait énergiquement. Certains jours, il atteignait un rythme de trois battements par seconde. Lorsqu'il remontait au grand perchoir après cet exercice, son aile droite pendait légèrement, signe qu'il était fatigué. Mais, courageux, il reprenait ces séances d'entraînement toutes les deux heures, tant et si bien qu'il finit par voler.

Le 20 août, vers 18 h, un balbuzard sauvage vint pêcher devant chez moi. Il plongea sur une proie mais rata son but. Il reprit son vol et vint planer 15 secondes au-dessus de l'enclos, en lançant des cris aigus. Notre protégé répondit et prit son envol... pour se retrouver tout droit dans le filet de pêche ! De là, il fit le tour de l'enclos avant de se poser à nouveau sur son perchoir. Il refit ce manège deux fois avant de s'endormir pour la nuit. Le lendemain matin, lorsque j'arrivai à l'enclos, l'aigle s'envola et resta en l'air une bonne minute. Il planait au centre de l'enclos, aidé par le vent, faisait des glissades à gauche et à droite mais contrôlait tous ses mouvements. Le temps que je déjeune et revienne le voir, il était parti!

Je regardai l'enclos vide, un peu triste de ne pas avoir vu l'oiseau s'envoler. Ce matin-là, notre aigle avait devant lui un lac bleu et rose, une montagne verte, des huarts, une famille de becs-scie, des goélands et derrière lui, un jardin de fleurs sauvages: des spirées blanches, quelques verges d'or, une grande épilobe aux feuilles étroites, d'un mauve rosé. Pas surprenant qu'il ait repris goût à la vie!

À la fin d'août, je repérai un balbuzard étrange qui fréquentait un petit étang calme à 3 km du chalet. Il volait bas (6 à 9 m), chassait bien mais se retirait souvent sur la grève pour y manger ses proies. C'est un comportement curieux pour un balbuzard et ce pourrait bien être notre protégé.

Mon voisin, Jacques Dufresne, passa me voir avec des amis français et ils observèrent avec moi ce bel oiseau. Le soir au souper, ils me parlèrent de leur ami, le philosophe Gustave Thibon, de son courage, de sa sagesse et de sa clairvoyance qui est telle qu'ils l'ont surnommé « l'aigle ». J'ai pensé qu'il serait juste que mon balbuzard porte le nom de cet homme remarquable.

Vole, Thibon !

Chapitre 7

Premier vent d'automne

Le 9 août 1987, 1 h. C'est la pleine lune. Comment pourrais-je dormir cette nuit? Le lac est calme et la lumière de la lune s'y reflète comme dans un miroir. « Tibiskawipisim », comme l'appellent les Amérindiens: l'astre de la nuit. Je nage jusqu'au centre du lac, presque hypnotisé par ce spectacle, puis je reviens me vêtir et reprends le crayon.

Déjà, l'été s'en va: il en est passé de l'eau sous le canot depuis le 21 juin! D'abord, la troupe des pionniers de Notre-Dame-des-Prairies, huit jeunes de 15 à 17 ans venus vivre une semaine dans la nature: camping sauvage, botanique, ornithologie, zoologie et, chaque soir, astronomie et veillée autour du feu. Tout ce qui nous a manqué, c'est le sommeil ! Il y eut ensuite les grandes vacances de juillet, époque où tout le monde débarque chez moi. Il y a foule sur la plage, on cueille des bleuets, on fait des tartes, on s'empiffre, on se baigne, on canote. On parle d'environnement, beaucoup trop au goût de certains, trop peu au goût des autres mais au moins, on en parle ; des idées courent, des gens changent. Heureusement ! Pourvu qu'il ne soit pas trop tard. Justement, j'ai sous le nez un érable aux feuilles déjà jaunes en ce début d'août. C'est ce qu'on appelle la défoliation précoce. Pourquoi ? Pluies acides ? Effet de serre ?

Septembre bientôt : les montagnes deviendront jaunes et le matin en sortant du chalet, je sentirai le gazon gelé sous mes pieds. La baignade quotidienne dans le lac sera de plus en plus vivifiante à mesure que la température de l'eau se rapprochera du point de congélation, jusqu'à ce que le lac gèle tout à fait, vers le 1er décembre. Ce sera le temps de la chasse : adieu canards, ours, lièvres, perdrix, marmottes et orignaux. Plusieurs tomberont dans ce combat tout à fait inégal que l'homme gagne toujours. Ensuite, je resterai seul avec les veuves et les orphelins.

Puis viendra l'hiver. Cette perspective m'effraie un peu : entre le moment où la glace commence à prendre sur le lac et celui où elle est assez solide pour porter un avion ou un traîneau à chiens, il y a deux longs mois à passer sans que personne ne puisse me visiter. Par contre, je pourrai enfin étudier et combler les lacunes que j'ai décelées cet été dans mes connaissances : taxinomie des champignons, des graminées, des saules, etc.

Passer un hiver en forêt demande une certaine dose d'organisation. Il faut penser logement, chauffage, nourriture, transport. Parlons du transport : plein de bravoure, j'ai d'abord pensé effectuer tous mes déplacements en raquettes ou en ski de fond. C'est la façon la plus gracieuse et la plus « écolo » de se déplacer mais évidemment, c'est un peu limitatif quant aux distances qu'on peut parcourir et en cas d'urgence, pas très efficace... La motoneige est l'appareil qui me rebute le plus au monde.

C'est bruyant, polluant, puant et mort. On ne peut discuter avec une motoneige et quand elle tombe en panne à 30 km de la maison, que de douceur perdue à essayer de la sensibiliser à notre problème ! Je ne pourrais pas confier ma vie à une machine sans cœur et sans cervelle.

Les chiens… ? Oui ! des chiens ! Des huskys, ces loups qui ont fait un pacte d'amitié et de partage avec l'homme. Je les connais : j'en ai vu souffrir pour me ramener à la maison. C'est décidé, je reprends des chiens. J'ai besoin de sept bêtes seulement pour couvrir jusqu'à 50 km par jour. Je n'ai qu'un coup de fil à donner et l'ami qui garde depuis un an mon chien de tête me le rendra. Mattawin's Touan Moyac, le cerveau de mon ancienne équipe. Imaginez un loup de 30 kg, ajoutez une touche de bleu ciel à son œil droit, un peu de noir sur ses épaules, une tache blanche en forme de fleur de lys sur sa tête et un moral à toute épreuve. Moyac avait quatre ans lorsque je l'ai pris en main. Jusqu'à cet âge, il a eu la vie dure en tant que membre d'un attelage de course pour un maître exigeant et intransigeant qui voulait gagner à tout prix. Je vous passe les souffrances que Moyac a endurées. À son arrivée au chenil Kiakita, il m'avait très vite adopté et était devenu dès la première année le chef de la meute. Traversant ruisseaux, glaces fondantes, neige épaisse et gadoue, il entraînait son équipe à le suivre en dépit du danger. C'est un être exceptionnel qui, malgré sa grande force de caractère, accepte facilement de se soumettre à son maître et ami. C'est aussi un chien de rituel: je l'ai souvent entendu, après son repas du soir et avant un sommeil pourtant bien mérité, entonner le chant du Nord. Une meute établie de huskys sibériens adopte en effet certaines habitudes dont celle-ci. À n'importe quel moment de la journée, un des chiens, souvent le chef, se met à hurler sans raison apparente. Il est bientôt imité par quelques autres et soudain, comme si un chef d'orchestre levait sa baguette, tous les chiens de la meute, tous, pointent le nez vers le ciel et chantent: Hououou, Hou, Hou, Houououou... Le son se répercute dans les montagnes.

La fin du chant est sublime: au moment où les chiens hurlent avec le plus d'intensité, le silence se fait instantanément de toutes parts, les chiens baissent la tête et reprennent leurs activités. Personne ne sait exactement ce qui incite les chiens à entonner l'hymne du Nord. On peut l'entendre plusieurs fois par jour ou passer plusieurs jours sans l'entendre. Il ne semble relié ni aux phases de la lune, ni à la température, ni à la condition physique des chiens. Mais Moyac, lui, peut faire chanter ses chiens comme il peut le leur interdire d'un seul de ses regards de chef. Brave Moyac!

En même temps que lui, je ramènerai au chenil une petite femelle de 20 kg aux allures de renard, Otso. Elle n'avait qu'un an quand je la confiai à un autre de mes amis. On m'en a dit peu de bien: « C'est une charogne ! Elle n'a jamais voulu marcher. Attelée, elle suit les autres mais ne tire jamais sur son trait. » Mais Otso est fille de champion et bon sang ne saurait mentir...

Chapitre 8

Hivernage

Pour arriver au chalet, il faut emprunter, un peu après Saint-Michel, une route cahoteuse puis sauter dans un bateau et traverser le lac. L'hiver, ce trajet est à peu près impraticable et les voyages à Saint-Michel deviennent difficiles et dispendieux puisqu'il faut les effectuer en motoneige ou en avion. Je dois donc acheter et apporter au chalet, avant le gel du lac, toute la nourriture et tout le matériel nécessaires pour les prochains six mois. Essayez ! Pensez à tout ce dont vous aurez envie ou besoin pendant six mois : la bouteille pour Noël, la farine pour fabriquer 100 pains, le gaz propane, la nourriture des chiens, les crayons, les livres et le papier pour les études de l'hiver... Combien de bas de laine percerez-vous ? Combien de tuques perdrez-vous ? Essayez ! Vous verrez des masses d'objets s'accumuler et des piles de factures à payer. Chaque année, toutes mes économies y passent. Heureusement, dès mon retour, finis les achats. Je range mon porte-monnaie dans le placard jusqu'au printemps.

Une fois arrivé au chalet, il faut entreposer tout le matériel et enterrer les aliments périssables dans le sable pour que rien ne se perde. Il faut aussi préparer le chalet pour l'hiver : doubler les fenêtres de polyéthylène, nettoyer le poêle à bois et la cheminée (lorsqu'il fera -40 °C la nuit, il faudra que ça chauffe !), entourer le chalet d'une clôture contre laquelle j'entasserai la neige au fur et à mesure qu'elle tombera, jusqu'à ce que le chalet ressemble à un immense igloo (c'est la seule façon efficace de le protéger contre le vent du nord). Il faut corder du bois sur la galerie : en cas de maladie, pas question de sortir pour en chercher dans le hangar ! Tous les outils essentiels doivent être bien rangés. Oublié dehors, un outil deviendra introuvable à la première chute de neige et ne réapparaîtra qu'au printemps. Un hiver, j'ai oublié un marteau dehors et pendant quatre mois, j'ai dû planter les clous avec une hache. Une autre fois, j'avais égaré l'huile à fanal et j'ai lu à la chandelle tout l'hiver.

Mais la beauté de l'hiver ici justifie la peine qu'on prend pour s'y préparer, ne serait-ce que pour observer, par un jour neigeux et sans vent, les millions de flocons qui tombent en pensant qu'aucun d'entre eux n'est semblable à un autre. Cette seule pensée me remplit de joie... Hubert Reeves a écrit: «Comment retenir la pulsion de tuer quand la jubilation est absente?» À l'inverse, comment peut-on avoir envie de tuer lorsque la beauté nous enivre? Sur ce, c'est l'heure du bain quotidien dans le lac. Température de l'eau en ce 11 novembre: 3 °C!

Chapitre 9

Cadeau de Noël à l'horizon

Depuis leur retour chez moi, Moyac et Otso vivaient derrière le chalet, attachés à leurs cabanes en bois rond, visiblement heureux de leur sort. Chaque fois que j'en avais le temps, je les laissais tous les deux courir librement. Ils étaient superbes. La femelle, plus jeune et en meilleure forme, se moquait un peu de son vieux mâle et le faisait, malgré lui, jouer au chat et à la souris. De temps en temps, elle se laissait rattraper, mais dès qu'il essayait de la monter, elle se sauvait, le laissant sur son appétit. Perplexe, il semblait se dire : « Il faudra bien, pourtant, qu'un jour... »

Et ce jour vint. Une chienne ne devient féconde que deux fois l'an: Otso le devint le 24 octobre. Moyac et elle s'accouplèrent les 24, 25, 26 et 27 octobre. Or, la gestation chez les chiens dure de 60 à 63 jours. Avec un peu de chance, les chiots naîtraient le soir de Noël !

Noël... Au lac Villiers, on ne ressent pas du tout l'agitation qui gagne les citadins à cette époque. Aucun des milliers de sapins qui entourent le lac ne porte de lumières électriques ! La pleine lune de décembre et Orion, cette grande constellation d'hiver, suffisent à tout illuminer. Parfois, mes meilleurs amis se joignent à moi pour les fêtes. On ouvre la fameuse bouteille réservée à cet effet, on parle et on écoute hurler les loups. D'autres années, je passe Noël tout seul en forêt, en tête à tête avec la nature, savourant d'autant plus ses beautés que je suis seul à les observer tandis que les réjouissances vont bon train ailleurs.

Je ne passerais donc pas le prochain Noël tout seul... Pendant la gestation d'Otso, des amis me prêtèrent des chiens pour que je puisse me déplacer. J'en vis de toutes sortes : certains souffraient du syndrome du chien battu, d'autres étaient gâtés à outrance, d'autres enfin semblaient n'avoir plus aucun intérêt pour le traîneau.

Un soir de novembre, je travaillais à compiler les relevés botaniques de l'été. Le lac étant à demi gelé, l'accès au chalet était très difficile et je n'avais pas eu de visite depuis trois semaines lorsque mon ami Raynald arriva, un peu fatigué, après une marche de 10 km dans les bois. « Yvon est au chemin, il a un chien à te prêter. C'est un des siens, il ne court plus assez vite mais c'est une bonne bête. Je crois que tu l'aimerais : c'est un neveu de Moyac. »

Cette dernière information me fit sauter dans mes bottes et partir illico pour rejoindre Yvon. À la nuit tombée, nous étions arrivés. Le temps de boire un peu de café et je repartis avec le nouveau chien. De retour au chalet, j'y trouvai trois Amérindiens qui, venus trapper dans la région, avaient décidé de dormir chez moi. Ainsi soit-il ! L'un d'eux s'approcha timidement du chien, lui posa une main sur la tête et dit : « Atom ». J'appris ensuite que ça signifie « chien » en langage atcikamek, le dialecte des Amérindiens de ma région, et je baptisai mon nouvel ami Atom. Atom était une copie presque parfaite de son oncle, sauf qu'il avait les deux yeux bleus et une large bande blanche sur les épaules, et qu'il gardait toujours sa queue roulée en éventail sur son dos, comme figée, ne s'en servant plus pour communiquer comme le font tous les chiens. Qu'il ait peur, qu'il veuille impressionner un adversaire ou lui montrer sa soumission, sa queue restait figée sur son dos par je ne sais quel réflexe...

Parmi les meilleurs chiens que j'eus la chance de côtoyer se trouvaient deux autres chiens d'Yvon, Castor, une femelle, et Pollux, un mâle, du nom de deux étoiles de la constellation des Gémeaux. Ces deux chiens n'avaient que six mois et Yvon ne pouvait pas les joindre si jeunes à son équipe de chiens adultes. Il n'avait pas non plus le temps de les entraîner. Castor et Pollux étaient les premiers fruits d'un système d'accouplement assez complexe mis sur pied par Yvon, qui avait choisi comme géniteurs quelques-uns des meilleurs huskys d'Amérique, descendants des huskys ramenés du nord-est de la Sibérie au début du siècle. Castor et

Pollux étaient de dignes représentants de cette race dont la sagesse et le dévouement au travail ne sont pas les moindres qualités.

À la fin de décembre, j'invitai Otso à partager ma demeure et j'installai sous le lit une litière propre où elle pourrait mettre bas. La veille de Noël, elle me fit le plus magnifique cadeau du monde : en sept heures, elle donna naissance à sept petits. Il y eut d'abord Cari, une petite femelle qui était le portrait vivant de Moyac, puis Shodi (« le feu »), un gros mâle presque blanc, puis Kashtin (« le vent du nord ») qui ressemblait à Atom sauf qu'il gardait, lui, la queue dressée. Plus tard, vinrent Nikwek (« la loutre »), un mâle qui ne ressemblait à aucun des chiens que j'avais connus, avec son poil beige et noir trois fois plus long que celui des autres. Il y eut ensuite Mascoch (« l'ourson »), un mâle, seul de la portée qui ressemblait à Otso, suivi de près par Mamao (« sautillante comme la biche »), une grosse femelle avec le regard de Moyac et enfin Kaya (« le loup »), une femelle qui, comme Nikwek, portait le poil long de je ne sais lequel de ses ancêtres. Les chiots de Noël étaient nés !

Pendant le mois suivant, je gardai les chiots et leur mère dans la maison pour qu'ils s'habituent bien à moi. C'est pendant cette période qu'Otso changea d'attitude face au travail. En novembre, lorsque je l'attelais avec Moyac et Atom pour de courtes promenades, elle ne tirait jamais sur son trait. Mais elle était déjà grosse à cette époque et tout pouvait lui être pardonné. Après Noël, je recommençai à faire de longues randonnées avec elle sur le lac enneigé. Elle jouait avec moi et se fit prendre à son jeu. Je remarquai qu'elle courait au hasard sur le lac puis revenait vers moi à toute allure, s'arrêtant subitement et s'écrasant dans la neige en attente d'un ordre de son maître. « O.K. Otso, vas-y ! » et elle repartait dans une course folle vers l'horizon. Je l'encourageais de loin : « Allez Otso, allez ! » et elle reprenait de la vitesse. J'usai et abusai de ce jeu et quand je la séparai de ses chiots, à la fin de janvier, c'était une nouvelle chienne. Pour lui faire oublier cette séparation, je l'attelai au traîneau avec Moyac, Atom, Castor et Pollux. Avant même le premier essai, j'étais sûr qu'elle aurait un tout nouveau comportement. Dès le départ, je criai : « Allez Otso ! » et elle se mit à tirer à en briser son trait. Au moindre ralentissement, je n'avais qu'à dire son nom pour qu'elle s'élance à nouveau de toute son énergie à travers lacs et forêts. Jamais plus elle ne faillit à la tâche. J'avais devant moi un pilier de ma future équipe.

Chapitre 10

Le rituel du bain

C'était à prévoir : la pompe à eau manuelle, installée dans le chalet, fait défaut. Je dois donc chaque jour percer un trou dans la glace du lac et transporter à bras les 50 litres d'eau nécessaires pour la journée. De temps en temps, il faut en transporter davantage pour remplir la baignoire : je n'en suis pas encore à me laver dans le lac l'hiver, le courage me manque ! Tous les chaudrons de la maison sont alors remplis d'eau du lac à 2 °C, que l'on chauffe le plus vite possible jusqu'à 40 °C. On verse ensuite cette eau dans la grande baignoire de fonte à pattes de lion et on s'y glisse avec des frissons de bonheur en n'oubliant pas de déposer tout près une bonne bière maison bien froide. Le tout n'est pas sans rappeler l'époque des cow-boys américains! Après une journée de travail à l'extérieur ou un long voyage en traîneau à chiens par grand froid, quel délice! Transporter l'eau pour remplir la baignoire est éreintant et on le fait le moins souvent possible: s'il y a des invités, on tire à la courte paille le privilège d'utiliser l'eau en premier... Et ce n'est pas tout: lorsque tout le monde est propre, l'eau du bain devient eau de lessive, puis sert à laver les planchers!

L'hiver au lac Villiers, c'est aussi tailler les arbres morts que l'on trouve en forêt, les transporter au chalet, fendre les bûches à la hache et les corder. C'est un travail à prendre au sérieux: pour chauffer l'eau et le chalet pendant un an, il faudra une pile de bûches de 40 cm, haute de 1 m 20 et longue de 4 m 50. L'hiver, il faut aussi se lever trois fois par nuit pour rajouter du bois dans le poêle, et le jour, entraîner les chiens, continuer mes études et répondre aux lettres de mes amis. Je n'ai pas le temps de m'ennuyer!

Chapitre 11

Le grand solitaire

Un matin que je voyageais avec mes cinq huskys, je fis une rencontre particulière. Pour éviter une partie du lac où la glace était encore mince, j'avais choisi de faire un détour de quelques centaines de mètres dans la forêt. Nous venions de déboucher dans une baie étroite; le soleil levant rougissait la glace. Un des chiens emmêla une de ses pattes arrière dans les cordages. J'arrêtai le traîneau le temps de libérer la bête. C'est alors que je l'aperçus.

Un loup gris se tenait à l'affût à quelques centaines de mètres de nous. Aussitôt, je m'accroupis pour qu'il ne me voie pas. Le loup surveillait l'embouchure d'un ruisseau.

À la vue du traîneau, il ne prit pas la fuite: peut-être était-il retenu par la présence d'un lièvre ou d'une gélinotte? Le plus discrètement possible, je lançai: «Moyac, A!» et mon fidèle chien de tête, tout surpris qu'il fût de ce commandement qui le faisait dévier de sa route habituelle, entraîna tout de même l'équipe vers la gauche.

Quand le traîneau fut bien orienté, je criai: «En avant, Moyac!» Moyac se mit à marcher droit vers le loup. J'étais toujours camouflé derrière mon traîneau. Je ne sais quelle inspiration germa dans la tête du loup solitaire, mais il fit quelques bonds dans notre direction. Son allure était calme, peut-être même un peu triste. Quand les chiens aperçurent enfin le loup, ils se mirent à courir vers lui à quelque 30 km/h. La grande rencontre entre le loup resté sauvage et les loups apprivoisés allait-elle avoir lieu? Que de «discussions» auraient pu s'engager au centre de ce petit lac. Peut-être le loup voudrait-il se joindre à notre équipe? Peut-être mes chiens voudraient-ils le suivre en parfaite liberté? Guidés par ce superbe mâle, ils auraient sans doute retrouvé l'instinct de chasseur, la fierté et la sauvagerie de leurs ancêtres.

D'abord surpris que les chiens fassent volte-face, le loup s'arrête sur la neige à quelques mètres de la forêt. Il jauge mes chiens et décide de les mettre au défi. Le noble animal prend le trot en suivant l'orée de la forêt. Quel trot ! Pour atteindre la même vitesse, les chiens doivent galoper de toutes leurs forces. Le loup halète, à 100 m sur notre gauche. Soudain, il prend le galop, bondissant tous les 2 m et faisant éclater la croûte de neige en retombant. À cette vitesse, mes « cabots » ne peuvent plus le suivre et il nous sème très vite, disparaissant dans une touffe d'épinettes.

Le rêve était terminé. Il ne restait de cette rencontre que quelques pistes sur la neige. Les chiens, épuisés par cette course folle, s'arrêtèrent net. Ils venaient de rencontrer un de leurs cousins : toutes sortes de questions, de comparaisons devaient leur trotter dans la tête. Je me surpris à les réconforter, à leur expliquer pourquoi il leur fallait porter un attelage. Je repris la piste, cherchant sur les petits lacs et près des ruisseaux des pistes de loutres pour confirmer une de mes petites hypothèses. Mais toute la journée, je songeai à cette fameuse rencontre. Il y avait quatre ans que je n'avais pas vu de loup dans cette région. En 10 ans, j'ai vu fondre les meutes et je n'ai que très rarement la chance d'entendre des hurlements de loup. Entre-temps, il est permis de chasser le loup partout, *sans limites de prise ou de possession* et par tous les moyens : au collet, au piège à pattes, au lacet à jambe. Il est encore permis d'abattre les loups même dans les régions où il n'en reste qu'un par 500 km . Il y a 10 ans, il en était de même du lynx du Canada et il est aujourd'hui, au Québec, au nombre des espèces menacées.

Il y a cinq ans, au moins cinq lynx vivaient dans ma région. Quand j'en rencontrais un, lui et moi rentrions chacun chez nous le soir avec notre peau sur le dos. Je n'étais pas plus pauvre, j'étais même plus riche et lui, vivant. Comme pour le lynx, la hausse du prix de la fourrure risque de causer la disparition des loups. Les animaux ne sont pourtant pas une matière première.

Chapitre 12

Les loutres

Selon une théorie généralement acceptée par les spécialistes du comportement animal, les loutres aiment s'amuser en glissant sur la neige près des cours d'eau. Je ne veux pas pour l'instant contredire cette théorie mais simplement vous rapporter quelques observations troublantes.

Deux hivers durant, en voyageant sur mon territoire en traîneau ou en raquettes, j'ai vu des loutres « s'amuser » ou, plus fréquemment, les pistes et les traces de glissades de loutres qui s'étaient ainsi amusées. Effectivement, elles ont l'air de s'amuser beaucoup. Il n'est pas rare de voir, sur un ruisseau, un trou dans la glace d'où partent des pistes de loutres et, tout près, dans la neige d'une pente abrupte, une dizaine ou même une vingtaine de traces de glissade.

Une constante : chaque fois que les loutres glissent longuement sur la neige, elles partent ensuite pour de longs voyages (jusqu'à 20 km) sur le lac, par des journées souvent très froides. Pourquoi, si elles ne glissent que pour s'amuser, ne retournent-elles jamais à l'eau ensuite ? Y a-t-il un lien entre les glissades et ces randonnées et, si oui, lequel ?

Un jour, j'étais sur le lac avec mes chiens à 30 km de chez moi lorsque je vis des formes humaines au bord du bois. En janvier dans ce lieu isolé, la chose n'est pas courante. Mes chiens avaient flairé ces hommes mais tenaient fidèlement le cap que je leur avais fixé. Dès qu'il en eut la permission, Moyac fit tourner la meute et galopa vers les hommes. Le temps que je me rende compte qu'il s'agissait de trois de mes amis amérindiens, il était trop tard. Ma meute était sur eux, mordillant le castor que mes amis venaient de trouver dans un de leurs pièges.

Heureusement pour eux, Moyac et sa meute sont amicaux envers l'homme : je ne tolère pas qu'un de mes chiens montre la moindre agressivité envers moi ou mes semblables. Ils tentèrent cependant de se partager le castor. On ne voyait plus qu'une boule de poils et de crocs qui grognait. J'eus tôt fait de calmer mes chiens et de les attacher à un arbre, loin de leur proie, mais pour le castor, c'était trop tard. Sa peau toute trouée ne valait plus rien. Mes amis n'étaient pourtant pas trop furieux. Il ramassèrent la carcasse tout imbibée d'eau qui commençait à geler (il faisait -30 °C). Le plus vieux des Amérindiens saisit le castor par la queue et se mit à le traîner dans la neige. Plus il le faisait glisser, plus le poil séchait. Bientôt, le castor tout à fait sec se retrouva sur la motoneige et mes amis repartirent. Dans la neige, il ne restait que quelques traces de glissades, semblables à celles que font les loutres.

J'étais fou de joie ! Ce pouvait être la solution. D'une part, la loutre est le seul animal aquatique qui peut sortir de l'eau et parcourir de longues distances sur des lacs par temps froid. D'autre part, glisser sur la neige permet d'assécher la fourrure à condition que l'animal glisse plusieurs fois à des endroits différents. Enfin, la loutre, lorsqu'elle glisse, le fait autant sur le ventre que sur le dos ou les côtés. Ce doit être très amusant mais surtout très commode de pouvoir s'assécher rapidement quand on sort de l'eau par temps froid !

Depuis ce jour, à chaque sortie en traîneau, je cherche des pistes de loutres pour confirmer mon idée : les loutres font des glissades sur la neige pour assécher leur poil avant de partir en ballade. Elles ne le savent pas, ces chères loutres, mais si elles pouvaient seulement enseigner leur truc aux castors, aux rats musqués et aux visons, ces derniers passeraient de meilleurs hivers. Tant de castors meurent gelés lorsque, leur étang s'étant vidé ou leur cabane ayant été détruite, ils sortent de l'eau trempés, par des froids sibériens...

Chapitre 13

Lever de lune

Le 3 mai. Ce soir, il me vient de drôles d'idées. J'ai envie de photographier la lune. Je prépare appareil, film 1000 ASA, trépied, déclencheur souple, j'installe mon attirail au bout du quai devant un bon fauteuil et j'attends que la lune paraisse... Face au chalet, Regulus, ce grand lion qui orne le ciel de printemps. Sous sa patte arrière plane le corbeau. Au zénith (le point juste au-dessus de vous) paraît le Lynx, juste en face de la Grande Ourse. L'étoile Acturus, de la constellation du Bouvier, s'allume déjà à l'est, signe que l'été arrive. Derrière moi, Vénus brille doucement...

Tandis que la glace s'amincit toujours sur le lac et que les bourgeons poussent, les oiseaux d'été reviennent du sud. Ces jours derniers, j'ai vu, ou plutôt j'ai entendu revenir le bruant à gorge blanche (« Où es-tu Frédérick, Frédérick, Frédérick ? »), la paruline jaune (« Tire, tire, tire la bibitte ! »), la paruline à poitrine baie (« Fusil, fusil, fusil ») et la chouette rayée (« Houhou-houhou, houhou-houhouha »). Ces repères phonétiques me sont bien utiles pour mémoriser le chant des diverses espèces d'oiseaux. Grâce à ces aide-mémoire, je peux reconnaître trois fois plus d'espèces, juste à leurs chants !

Bientôt, ce sera le jour du grand dégel : du jour au lendemain, le lac sera libre de glace et je pourrai à nouveau voyager en canot. Ce jour-là, la masse de glace se fend soudainement en deux blocs qui se rompent à leur tour. Les blocs de glace, pouvant atteindre 1 km^2, sont ensuite poussés par le vent vers les parties du lac où la glace est déjà fondue. En se déplaçant, les blocs de glace fondent à vue d'œil, puis disparaissent. Toutes les traces imprimées sur le lac au cours de l'hiver s'évanouissent : voyage vers le nord, visite au porc-épic, séance d'astronomie prolongée, toutes ces pistes qui se brisent et se propagent au gré du vent vous font l'effet d'un agenda qu'on déchirerait sous vos yeux. Rien ne peut arrêter ce combat que l'eau mène contre la glace. Dorénavant, il vous faut vivre avec le chant des vagues et la crainte des tempêtes. Et tout cela se fait si vite... Un jour, c'est l'hiver et on peut encore marcher prudemment sur la glace, puis le lendemain, le vent se lève et douze heures après, c'est l'été. Vous pouvez alors pêcher, voyager vite et aller en bateau là où vous voulez. Pourtant, chaque année, malgré le retour de cette liberté tant souhaitée, je me prends à regretter un peu la solitude de l'hiver. C'est vrai, c'est bien agréable de partager ses joies avec d'autres êtres. La solitude a par contre ceci de particulier qu'elle permet de vivre sans masque et d'être tout entier à ce qu'on aime, dans mon cas, la nature. Cette solitude est bien différente de celle qu'on ressent dans les villes. Là, on a de bonnes raisons de se demander pourquoi on se sent seul au milieu de millions d'êtres humains!

Chapitre 14

Sirius

Le 15 juin, après 25 km en bateau et 65 km en camion, j'arrivai à Saint-Michel-des-Saints et je retrouvai le médecin des rapaces, Guy Fitzgerald. En entrant à la *Brasserie Saint-Michel*, je remarquai dans la pénombre une boîte faite de contre-plaqué: notre nouveau patient. On doit transporter les oiseaux de proie dans de petites caisses complètement fermées, mis à part quelques trous d'aération. Ainsi, ils perdent l'usage de leur sens principal, la vue, et subissent moins de stress lors du transport. Guy m'invita à sa table que garnissaient une bière, un café, des médicaments et une longue liste de recommandations. Un balbuzard dans une brasserie : c'était inusité! Le silence se fit aux autres tables occupées par les bûcherons et les travailleurs du coin, tandis que Guy me racontait les mésaventures subies par l'oiseau. Des agents de conservation de la faune l'avaient trouvé près d'une petite rivière à Saint-Jean-sur-Richelieu. Emmené à la clinique des oiseaux de proie, l'aigle avait été examiné : trois fractures au carpométacarpe de l'aile gauche (l'équivalent de notre main) et un plomb de fusil dans l'abdomen. Le patient avait reçu, entre autres, des vitamines et un antidote contre le plomb. Ses plaies avaient été désinfectées et bandées, et son aile, immobilisée.

L'oiseau se portait bien malgré deux problèmes. D'abord, seulement deux des trois fractures de son aile étaient guéries. La dernière fracture était si rapprochée de l'articulation qu'il se pouvait que la soudure de l'os englobe l'articulation, auquel cas l'oiseau ne pourrait plus voler. Le second problème était qu'il ne voulait absolument pas se nourrir... ou plutôt, elle ne voulait pas. D'après son poids (1,75 kg), Guy estimait qu'il s'agissait d'une femelle adulte. Il faudrait donc la nourrir de force en insérant de petits bouts de poisson profondément dans sa gorge. D'un repas à l'autre, elle subirait un stress de plus en plus intense qui pouvait finir par causer un arrêt cardiaque. Il était aussi possible qu'une fois dans l'enclos, l'oiseau ne puisse tout simplement plus supporter la contention. C'était un risque à courir. Guy me fit ses recommandations, notamment arranger les perchoirs de sorte que notre patiente puisse y grimper et construire une petite clôture pour qu'elle ne puisse pas sauter à l'eau du haut du perchoir (risque de noyade). Le bandage qui immobilisait l'aile de l'oiseau devait lui être retiré dans 10 jours s'il acceptait de manger. Sinon, je devais défaire le pansement au bout de deux jours pour que l'aigle se sente plus libre, au risque que la fracture soit mal guérie... Guy me dit aussi que si l'aigle mourait, il faudrait le congeler et le lui faire parvenir pour autopsie. Cette dernière éventualité me parut inacceptable. Guy m'expliqua que, cette fois, les chances de réussite étaient minces et qu'il ne faudrait pas que je me sente trop coupable si l'oiseau...

— Elle ne mourra pas! Peut-être restera-t-elle captive, peut-être deviendra-t-elle un *starter*, mais elle ne mourra pas.

J'ajoutai que l'enclos était encore plus beau qu'avant, qu'il couvrait une plus grande surface d'eau, que j'avais plus d'expérience, que les balbuzards libres viendraient voir et rassurer leur congénère et surtout, qu'elle ne pourrait pas vouloir mourir dans un endroit aussi agréable...

Guy repartit vers son hôpital et l'aigle et moi, vers le lac Villiers. Je jetais périodiquement un coup d'œil à l'aigle: vivrait-elle au moins jusqu'au chalet? Après 65 km de route et une heure de bateau, elle prit enfin place dans l'enclos: son premier geste fut de se jeter à l'eau, malgré la barrière que j'avais installée suivant le conseil de Guy. Elle se baigna, but beaucoup, s'assécha et se baigna encore. Ses yeux retrouvaient leur éclat d'heure en heure, sans doute à force de regarder la forêt, les nuages, la pluie, les éclairs, le jour et la nuit. Elle était si belle que je décidai de la baptiser Sirius, du nom de la plus belle étoile de notre ciel, plutôt que *numéro 2 !*

Après trois jours, je lui enlevai son bandage. À ma grande joie, elle déplia son aile et en peu de temps, elle put s'élever d'environ 1 m dans les airs. Cela tenait du miracle, l'aile était parfaitement guérie ! Guy avait encore une fois réparé l'erreur d'un tireur inconscient (pour être poli)...

Mais Sirius ne mangeait pas. Elle devait bien se rendre compte que je tenais à elle... Je lui expliquais que 100 personnes me soutenaient financièrement pendant que je me consacrais à elle, que Guy n'avait pas du tout envie de se livrer à une autopsie sur elle. Chaque jour, j'allais la voir, lui offrais calmement des morceaux de poisson qu'elle refusait tous. Devant elle, dans l'eau, se pressaient des dizaines de poissons vivants que j'avais capturés pour elle. Sirius ne mangeait toujours pas. Chaque soir, avec mon neveu Pascal venu m'aider, je devais m'imposer l'ignoble tâche de la forcer à manger. Nous nous laissions stoïquement labourer les mains par ses puissantes serres ; la moindre réaction de peur ou de panique de notre part déclencherait la même réaction chez elle, ce qui pouvait lui être fatal. Jour après jour, les gavages devenaient plus pénibles pour elle : l'adrénaline faisait son effet. Un soir, pendant un autre repas forcé, les yeux de Sirius devinrent mats. Son cœur trépidait à 120, 150 battements à la minute. Une fois reposée sur le sol, elle resta un instant sur le dos : elle était en état de choc.

Le sort en était jeté : nous ne pourrions plus la nourrir de force, elle devait manger toute seule. Nous venions de la gaver : elle avait donc 48 heures pour décider de manger, de vivre, sans quoi elle mourrait d'inanition.

Les heures passèrent. Appuyé sur le mur de l'enclos, je l'implorais d'accepter de manger. L'oiseau ne se posait plus qu'à trois endroits : deux perchoirs et une pierre sur le sol. Je l'imaginais en train de mourir à chacun de ces endroits. Je voyais déjà ses yeux clos à travers le sac de plastique, le congélateur, la tristesse de tous ceux qui avaient participé à cette « opération balbuzard ».

Le vent gonflait ses plumes, elle était belle, son œil argenté luisait froidement. Je sentis sourdre en moi la révolte. Je la traitai de lâche, de peureuse, d'indésirable. « Crève donc si tu ne veux pas vivre ! Des lâches comme toi, la planète n'en a pas besoin... elle est elle-même si mal en point de toute façon ! Jeûne, ma vieille, si tu le désires. Je m'en fous, Guy s'en fout, tout le monde s'en fout... » Soudain, je me ressaisis et lui dis : « Ta petite grève de la faim ne sera pas si facile que tu crois ! » J'entrai dans l'enclos avec un rouleau de ficelle, je ramassai des poissons et j'en attachai partout, sur chaque pierre, sur chaque perchoir. Puis, soulagé, je retournai à mon poste d'observation.

« Voilà, ma vieille gréviste. Tu veux vraiment mourir de faim ? Eh bien ! tu mourras perchée sur ta nourriture. » Je la regardai quelques instants, juste assez pour constater que ma vengeance l'importunait, pour la voir mal à l'aise devant toute cette nourriture. Elle tentait de se percher à côté des poissons : impossible, j'en avais mis partout. Elle me regardait, regardait un poisson, se perchait dessus, descendait, essayait ailleurs. Je quittai mon poste. Il ne lui restait plus que 12 heures pour réfléchir, après quoi il serait trop tard.

Je n'eus pas à attendre si longtemps : quelques heures plus tard, Sirius prenait son premier repas ! Le mal était réparé, il suffisait d'attendre. Les jours suivants, je n'eus qu'à lui fournir du poisson et à la laisser tranquille tandis qu'elle faisait ses petits exercices de physiothérapie. Elle voletait dans l'enclos et arriva graduellement à en faire une fois et demie le tour, à se poser lentement à la verticale et même à freiner en vol. Elle se servait avec aisance de son aile gauche et ne semblait pas souffrir de ses blessures passées. Dès lors, elle était prête à partir.

Je pris l'habitude de déposer des restes de poissons sur une pierre près de l'enclos. Des goélands acceptèrent volontiers mon cadeau et vinrent se nourrir près de Sirius. Après trois jours de ce manège, un de ces goélands qu'on accuse de fouiller dans les ordures, de salir les tables des chics restaurants McDonald, un de ces goélands argentés qu'on empoisonne par milliers près des Grands Lacs est venu manger avec Sirius et en repartant, l'a emmenée avec lui.

Aujourd'hui, le ciel est clair, quelques nuages le décorent et là-haut, tout là-haut dans l'azur, plane un balbuzard de plus.

Chapitre 15

Nuit de Noël

Il neigera peut-être. Debout au milieu du chenil, je regarderai les flocons tomber lentement sur le sol, entre les bouleaux et les sapins. Je rendrai visite à chacun de mes chiens : Moyac, Otso, leurs trois filles — Kaya, Mamao, Cari — et leurs quatre fils — Schodi, Kashtin, Mascoch et Nikwek. Les chiots de Noël 1987 sont maintenant adultes et je leur souhaiterai *bonne fête* en leur donnant à chacun un gros bec sur le museau. Et je dirai merci à leurs parents de m'avoir donné de si bons chiens.

Les souvenirs m'envahiront. Je reverrai en pensée les sapins chargés de décorations, je me rappellerai la saveur des tourtières et du ragoût, l'odeur de la dinde qui cuit au four. Je songerai à tout ça, bien sûr. Pourtant, d'année en année, d'un Noël à l'autre, ces souvenirs s'estompent et je les remplace par les multiples plaisirs de la vie que j'ai choisie.

Je partirai en balade avec mes chiens, juste pour le plaisir d'entendre leurs halètements, le cliquetis des boules de glace accrochées à leur poil, le craquement du traîneau de bois, le frottement des patins sur la neige. J'observerai les étoiles et, si la chance me sourit, je verrai un lièvre, un grand pic ou un couple de durs-becs des pins chantant dans le froid.

Chapitre 16

Des touristes au lac Villiers !

L'aventure commença à l'automne 1988, lorsqu'une agence de voyage montréalaise me demanda d'accompagner des groupes de touristes pendant leur voyage en traîneau à chiens. Les touristes, des Européens pour la plupart mais aussi des Canadiens, viendraient, en compagnie de quelques conducteurs de traîneau expérimentés, goûter le plaisir de vivre et de voyager avec une centaine de chiens dans le calme et la beauté de l'hiver.

L'année précédente, j'avais accepté de jouer un rôle de figurant dans ces voyages. Je recevais les voyageurs chez moi pour une nuit et discutais avec eux de la vie d'ici, leur expliquant ce qui me pousse à vivre en forêt, isolé au cœur de ce pays d'arbres, de glace et de neige. J'acceptai, pour la deuxième année, d'accompagner les groupes en tant que guide-naturaliste.

L'hiver passa comme un grand tourbillon de neige et je n'eus pas une minute pour écrire avant le départ du dernier groupe de touristes... La scène se passe le 31 mars 1989, à 14 h, près de mon chalet. Tour à tour, les cinq *mushers*[3] attachent solidement les bagages sur les traîneaux et préparent les harnais et les traits. Les chiens s'activent, sentant approcher l'heure du départ. Ils se lèvent, se secouent et se mettent à piétiner la neige. Les plus nerveux aboient ou hurlent. Maurice, le cuisinier, charge sur sa motoneige le reste des bagages, ce qui donne à son véhicule l'allure d'une diligence replète. Dans le brouhaha, les touristes courent à droite et à gauche, vérifiant s'ils n'ont rien oublié et prenant quelques photos au passage. Les équipes de chiens doivent partir une à une de façon à ce que les traîneaux soient assez éloignés les uns des autres. Autrement, les chiens s'essouffleraient à essayer de rattraper l'équipe qui les précède.

---

3 Musher : conducteur de traîneau

Cette dernière étape du voyage ne sera pas très longue, 17 km tout au plus. On entend un cri qui signifie que le premier *musher* est prêt. Il pique profondément son ancre à neige dans la glace et attache le traîneau à un arbre. Les autres *mushers* lui amènent ses chiens, qu'il attelle un à un, le chien de tête seul en avant, les autres par paires le long du trait principal. Certains chiens restent calmement à leur place, attendant le signal du départ mais la plupart s'excitent, aboient, sautent et tentent de décrocher l'ancre à neige, ce qui énerve le *musher* et le touriste qui s'empresse d'aller s'asseoir à sa place dans le traîneau. Le *musher* attache le dernier de ses 13 chiens, s'installe rapidement sur les patins du traîneau, lève l'ancre et c'est le départ. Le traîneau disparaît derrière les arbres, après un premier virage réussi. Un calme impressionnant s'ensuit... qui ne dure pas car déjà, un deuxième *musher* se prépare à partir. Les chiens jappent, le touriste accourt, distribuant salutations et poignées de main, s'étendant quelquefois de tout son long sur la glace et la neige cahoteuse avant d'atteindre le traîneau. Le *musher,* souriant malgré l'excitation du départ, reste attentif à ses chiens. L'ancre est levée, « salut *musher !* » Les patins glissent sur la croûte de neige et le deuxième traîneau disparaît derrière les cèdres !

Onze autres chiens s'excitent, chacun exprimant sa joie à sa façon. Quelques minutes s'écoulent... « Où est mon touriste ? Avez-vous vu mon touriste ? » Le voilà qui sort des toilettes extérieures et attache sa parka en courant vers le traîneau. Il embarque et c'est un troisième départ. Le quatrième *musher,* lui, se laissera conduire par son petit débrouillard de touriste : on place le dernier chien et zip ! c'est parti...

Plus qu'une équipe à lancer. Avant d'amener les chiens, on prend le temps de se reposer un peu. Le départ d'une équipe de chiens, c'est un peu comme le décollage d'une navette spatiale. Il y a un compte à rebours : 1, 2, 3 chiens... et quand on atteint 11, c'est le temps de décoller. Les chiens sont fringants, tout peut arriver. Si chacun joue son rôle à la perfection, le départ se fera sans accrocs. À la moindre défaillance, le décollage tourne au désastre : chiens blessés, membres cassés, traîneau brisé...

Un moment avant, tout est droit et beau, puis c'est la catastrophe. Au départ d'une équipe, il n'y a donc pas de place pour les causeries ni les photos. Ce n'est surtout pas le moment de caresser les chiens ni de jouer avec eux!

On amène la dernière équipe sur la piste et on la harnache au traîneau. On enlève les attaches, « salut Madame ! » « salut Monsieur ! » et le traîneau disparaît. C'est le silence, la solitude... Il ne reste qu'à faire le ménage du chalet et le dernier groupe de touristes ne sera plus qu'un souvenir. Après trois heures passées à laver vaisselle et planchers, à reclasser les livres, à ranger les chambres, la cuisine et le garde-manger, je m'assois à la fenêtre et m'endors .

Le dernier voyage a été épuisant pour tous les membres du groupe. Pensez : 13 personnes vivant ensemble dans un petit chalet durant une semaine, les nuits courtes et ponctuées de ronflements, tout ce monde qui parle, mange, se brosse les dents. Ouf! Mes chiens aussi étaient un peu fatigués de se faire interpeller, dorloter et parfois marcher sur les pattes par un touriste distrait. Ils ont bien travaillé, mes braves jeunes princes ! En comptant ce dernier voyage, ils ont parcouru plus de 2 600 km pendant l'hiver. Il faut dire que sept des neufs chiens de ma meute n'avaient jamais vu de traîneau avant cet hiver, les sept chiots de Noël 1987. Mais aidés et rassurés par leur mère Otso et par leur sage père Moyac, ils sont devenus des chiens de traîneau sociables et efficaces. Deux mille six cent kilomètres pour un premier hiver, ce n'est pas mal du tout !

Chapitre 17

De l'intelligence...

Le 5 mai 1989, la glace tenait toujours sur le lac et cela commençait à m'exaspérer. Qui plus est, de gros blocs de glace s'accumulaient devant le chalet, m'empêchant de sortir en traîneau. J'en avais assez d'être coincé !

Quand une déchirure dans le ciel gris fit paraître une large bande d'azur et que le soleil plomba sur la terre, le clairon du rassemblement sonna en moi. Je tirai le canot jusqu'au lac Culotte, qui était à demi-dégelé. Si la glace cédait, je n'aurais qu'à sauter dans mon esquif et à avironner jusqu'au prochain pont de glace. Quelques vaguelettes, poussées par le vent d'est, venaient chanter sur la grève. C'était joli... jusqu'à ce que l'orage commence. Bien sûr, je n'avais ni manteau ni imperméable ! Il ne me restait qu'à rentrer sous la pluie, en sautant d'un bloc de glace à l'autre. C'est une chance que personne ne m'ait vu : à coup sûr, j'aurais passé pour fou !

Quelque chose bougea à ma droite. En essuyant l'eau de mes yeux, je reconnus un goéland argenté qui mangeait quelques débris sur la glace. Soudain, un corbeau fonça sur lui. L'attaque était sans équivoque : le goéland recula, le maître noir s'avança. La proie était plus grosse que je ne le croyais. Le corbeau fit quelques pas et tenta de soulever un poisson, un corégone, qui devait peser un kilogramme.

Comme la pêche est interdite l'hiver, je n'avais pas mangé de poisson frais depuis des mois. Je criai : « Corbeau ! » et dans une course folle sur le damier d'eau et de glace, j'arrivai près du poisson, trempé jusqu'aux os par une mauvaise manœuvre, pour constater que mes efforts se solderaient par un repas de... lentilles et de luzerne. Avant que nous n'arrivions, le corbeau et moi, le goéland avait largement entamé son repas. Le poisson n'avait plus de tête, ses viscères étaient répandues sur la glace... je lui préférai mes lentilles! Je songeai un instant à le ramener à mes chiens, mais y renonçai. Quelque part, pas très loin, madame corbeau couvait ses petits sous la pluie et son mâle avait dû chercher toute la journée de quoi les nourrir.

Je revins au chalet, mis une bûche dans le poêle et m'installai confortablement derrière ma lunette d'approche pour observer le retour du père corbeau. Il me fut alors donné de voir quelque chose d'extraordinaire...

Il pleuvait à faire frémir les glaces. De grosses gouttes de pluie rebondissaient près du poisson, sur lequel le corbeau s'était jeté avec avidité. L'oiseau se tenait sur une patte, serrait de l'autre le corégone et le frappait de toutes ses forces avec son large bec coupant. Le manège dura cinq bonnes minutes. Je trouvais curieux que l'oiseau frappe toujours au même endroit sur le poisson et qu'il ne prenne jamais le temps d'en avaler ne serait-ce qu'un tout petit morceau. Il continua de frapper avec acharnement jusqu'à ce que le poisson se déchire en deux parties égales. Le corbeau plaça une patte sur chaque pièce et, tirant de son bec sur la lanière de peau qui retenait encore ensemble les deux morceaux, réussit à la déchirer.

Je n'en croyais pas mes yeux. Le soir tombait. Il y avait de fortes chances, si le corbeau laissait cette proie sur la banquise, qu'elle n'y soit plus le lendemain matin. Pourtant, elle était beaucoup trop grosse pour qu'un corbeau puisse la transporter en vol... Il pleuvait à tout rompre, ses plumes commençaient à lui coller à la peau, il devait trouver une solution, vite ! Et il l'avait trouvée : déchiqueter la proie en deux et faire deux voyages...

L'oiseau se secoua, replaça et lissa ses plumes puis se remit au travail. Il prit la plus petite moitié du poisson dans son bec et l'enfouit dans une fissure de la glace. Elle était si bien camouflée que je ne pouvais plus la voir, même en utilisant le plus fort grossissement de ma lunette, alors que l'instant auparavant, je voyais distinctement les écailles du poisson voler sous les coups de bec. L'oiseau venait de cacher la pièce pour le temps que durerait son premier envol. Il avala rapidement les petits morceaux de chair qui traînaient, revint à la pièce la plus lourde, la saisit et se propulsa dans les airs à l'aide de ses pattes. Il disparut deux minutes puis revint, saisit le deuxième morceau et s'envola de nouveau. Je me laissai choir dans un fauteuil, sidéré par cette observation. Je bondis ensuite vers mon dictionnaire Larousse. I, i..., in..., int, ah! p. 529: intelligence:

1- Faculté de comprendre, de saisir par la pensée.
2- Aptitude à s'adapter à une situation, à choisir en fonction des circonstances.

Je fus bien obligé de conclure que ce corbeau venait de réussir tout cela!

Chapitre 18

Érection d'une plate-forme

Le 20 septembre. Levé avant l'aube, je rendis visite à mes chiens dans la pénombre. Je passai la première heure du jour avec eux, ramassant leurs crottes de la nuit, remplissant les trous qu'ils avaient creusés dans le sol, mangeant une banane et une orange sous leurs regards intrigués. Regard bleu, brisé d'une pointe de brun chez certains... Le vieux Moyac, dans sa 13e année d'existence, se comportait parfois comme un chiot, sautillant sur place pour m'attirer vers lui. Moyac, patriarche de mon chenil, chef incontesté de la meute. Chaque chien, chaque chienne de ma meute a un peu de son sang dans les veines et a appris de lui comment se comporter envers les autres chiens et envers moi. Ainsi, avec le temps, les Schodi, Kashtin, Kaya, Nikwek deviennent autant de copies de ce fameux Mattawin's Touan Moyac.

« Je passerais bien la journée avec vous, les chiens, mais d'ici l'hiver, il y a encore du travail qui m'attend. À ce soir ! » Et ils me regardèrent pensivement tandis que je redescendais au chalet. Ce jour-là, je devais prendre un échantillon d'eau dans une tourbière située à 500 m au nord-ouest du lac Villiers. Un sentier utilisé depuis toujours par les Amérindiens de ma région, les Atcikamek de la Manouane, mène à cette tourbière. C'est un petit chemin magnifique, courant entre les plants de lédon et d'airelles, jonché de feuilles mortes dont le léger parfum de fermentation enchante l'esprit. Après un dernier tournant, j'aperçus la tourbière, les montagnes qui l'entourent et, dominant la forêt, le pin gigantesque qui allait devenir le cinquième site de nidification de la « colonie » de balbuzards du lac Villiers.

Situé à l'écart de la tourbière, sur une petite butte (ce qui expliquait que je ne l'aie pas encore remarqué), l'arbre mesurait 30 m. Il avait été frappé par la foudre : sa cime était desséchée sur 5 m mais le reste de l'arbre était encore bien vivant. Il semblait conçu exprès pour plaire aux aigles, par sa hauteur et sa situation. Je venais donc de trouver de quoi occuper la journée du 20 septembre et les suivantes ! De retour au chalet, je chargeai le canot de tout l'équipement nécessaire à la construction. D'abord la plate-forme elle-même, un carré de bois de 1 m 25 de côté, renforcé au centre et recouvert d'un léger treillis métallique, puis l'équipement d'escalade : une corde de 40 m, un cuissard de sécurité, quelques mousquetons, des cordes d'appoint de différentes longueurs. Enfin, les outils : boussole, sciotte, marteau, hache, clous pour la construction et machette pour me tailler un passage jusqu'à l'arbre, parmi les aulnes et les broussailles. Je retournai à la tourbière et entrepris de transporter tout ce fourbi près du pin. La masse fantomatique de la cime morte se détachait sur le ciel d'azur. Je me sentais tout petit devant ce monstre qu'il me faudrait bientôt escalader... Une mésange à tête noire arriva fort à propos, chantant son éternel: « chickadee - dee - dee » et je retrouvai un peu de courage.

Un examen sérieux de l'arbre s'imposait: pas question de grimper tout seul dans un arbre de 30 m de haut sans être certain qu'il tiendrait le coup ! Soixante pour cent des branches étaient encore vivantes, mais le tronc avait été fendu sur toute sa longueur par la foudre. Des fourmis et d'autres insectes s'étaient installés à la base de l'arbre et un grand pic y avait percé quelques trous pour les attraper. C'était un peu risqué... Par contre, l'arbre avait résisté à des vents très violents depuis qu'il avait été foudroyé et je jugeai qu'il serait assez fort pour me porter si je prenais la précaution de ne pas y grimper par temps venteux. Je revins au chalet et j'utilisai mon radio-téléphone pour rejoindre ma nouvelle alliée, Danielle, lui confier mon projet de construction et lui faire part de la situation exacte du pin, pour des raisons de sécurité.

Le 3 octobre, j'entrepris la construction de la plate-forme. Je construisis d'abord cinq échelles légères à partir de sapins morts et secs, afin de pouvoir atteindre facilement les premières branches du pin, à 20 m du sol. J'accotai une échelle de 7 m à la base de l'arbre, clouai le bas de l'échelle au tronc, y grimpai, en utilisant une courroie pour tenir l'échelle près du tronc et éviter de tomber à la renverse, et clouai le haut de l'échelle. J'installai ensuite la deuxième échelle au-dessus de la première et ainsi de suite, la taille des échelles diminuant progressivement au fur et à mesure que j'approchais du sommet de l'arbre. Chaque échelle fut ensuite solidement attachée au tronc à l'aide d'une courroie de nylon, au cas où les clous rouilleraient au fil des ans. Pourquoi cette précaution ? Parce qu'un couple de balbuzards peut nicher au même endroit pendant plus de 25 ans et qu'il faudra, chaque année, grimper à une échelle pour aller observer le nid et baguer les petits qui s'y trouvent. La plate-forme aussi doit être solide : si un nid est détruit après avoir abrité un couple de balbuzards pendant quelques années, il se peut que ce couple n'en construise jamais d'autre... De là l'importance de maintenir l'arbre en bon état en détruisant le moins possible de branches vivantes. Seule la tête morte sera coupée. Les courroies servant à attacher les échelles seront fixées de façon à ne pas nuire à la croissance de l'arbre et j'utiliserai un minimum de clous, soit 20 clous de 15 cm, répartis sur une hauteur de 24 m. Ces clous pourraient même être très utiles à l'arbre. Advenant le cas où une compagnie forestière déciderait de faire des coupes dans la région, ce pin magnifique serait le premier coupé. Par contre, les bûcherons ont ordre de ne jamais abattre d'arbre qui contienne des clous puisque ces derniers risquent de blesser les ouvriers et d'endommager les scies au moment du débitage.

Le 19 octobre, avec l'aide de Danielle qui me rendait visite, j'installai les trois dernières échelles, longues de 5m, 5m et 3m respectivement. À cette altitude, il faut utiliser sangles et mousquetons pour grimper en toute sécurité. Cette précaution ralentit le travail mais évite les accidents... enfin, les accidents graves. J'en étais à fixer le haut de la dernière échelle lorsque...

— Toc ! Toc ! toc ?

— Danielle, as-tu entendu un coup de marteau un peu assourdi ?

—Oui, le troisième, pourquoi ?

—C'est que je me suis tapé sur le doigt!

La blessure était légère mais saignait à flots. Je descendis, embrassai Danielle qui semblait inquiète et rentrai avec elle à la maison pour panser ce «bobo» gênant.

Le 26 octobre, je me retrouvai au pied de mon pin. Je devais cette fois installer une poulie en haut de l'arbre, afin d'y hisser la plate-forme. J'accédai ensuite facilement à la cime morte en grimpant de branche en branche, toujours solidement attaché par une bonne sangle et des mousquetons de sécurité. J'en étais à la manœuvre la plus dangereuse: couper la tête de l'arbre. Pour ce faire, je m'attachai solidement au tronc par la taille pour pouvoir utiliser mes deux bras puis, à l'aide de la sciotte (à 25 m d'altitude, pas question d'utiliser une tronçonneuse, c'est trop dangereux...), je commençai à couper l'arbre.

Quoique morte, la cime était encore imposante avec ses 5 m de haut et sa masse de branches mortes. Il me fallait diriger la scie de façon à ce que la tête de l'arbre tombe dans la bonne direction: si elle basculait vers moi, je n'avais aucun moyen d'éviter d'être assommé ou jeté au sol. L'autre moment crucial était celui où, la tête tombée, l'arbre se mettrait à vibrer fortement, son sommet décrivant un cercle d'environ 1 m de diamètre. L'arbre tiendrait-il le coup ? Fort heureusement pour moi, il tint bon ! Je remerciai le Dieu des balbuzards et terminai enfin mon ouvrage en installant la plate-forme, en la solidifiant à l'aide de deux ou trois planches et en y installant un nid sommaire, fait de branches mortes cueillies dans l'arbre même et disposées en cercle, puis tapissées d'aiguilles de pin et de mousse séchée.

Le moment suivant m'appartenait, c'était en quelque sorte ma récompense. Je me détachai de l'arbre, ne gardant qu'une sangle de sécurité, grimpai m'asseoir à l'indienne dans le nid et devins moi-même un balbuzard. Je regardai la vue splendide qu'auraient les futurs aiglons en ouvrant les yeux pour la première fois, j'imaginai ce que ressentirait la femelle en couvant ses œufs pendant 38 jours, devinai d'où elle verrait revenir le mâle chargé de poissons. J'imaginai l'attente patiente du mâle, guettant l'arrivée tardive de la femelle avec laquelle il partagerait son nid et enfin, lorsque s'éleva une légère brise, je ressentis la crainte des jeunes balbuzards encore incapables de voler et qui se blottissent au milieu du nid quand le vent ou leurs frères et sœurs les poussent trop au bord. Le vent prenait de la force. Je me souvins alors que je n'avais pas d'ailes ! J'attrapai ma sangle, la fixai au mousqueton et descendis à terre aussi vite que mes jambes me le permettaient, pris d'une peur panique ! Plus que 30 barreaux, lâcher la sciotte, ouvrir le mousqueton, changer de sangle, fermer le mousqueton, descendre. Plus que 15 barreaux, lâcher la sciotte, plus que 3, 2, 1... le sol ! D'ici, on ne tombe plus.

La cinquième plate-forme était à peine installée que le gardien du lac me suggérait d'en construire une autre, près du quai public. Lorsque les balbuzards reviendront, j'aurai donc six nids à leur offrir. Je lançai un dernier regard vers la cinquième plate-forme, que je dédiai à Danielle, en espérant qu'elle aussi reviendrait bientôt nicher chez moi...

Chapitre 19

De la douceur, de la douceur, de la douceur...

Paul Verlaine

Il pleut au lac Villiers en ce matin du 9 novembre. Le pH de cette pluie est de 4,1, c'est-à-dire qu'elle est dix fois plus acide que la pluie normale... Et il tombe chaque jour de la pluie semblable, ce qui n'égaie pas le triste mois de novembre. En plus, il fait froid et le lac commence à geler: je suis à nouveau prisonnier chez moi jusqu'à ce que la glace puisse supporter le poids du traîneau. Il ne reste presque plus d'oiseaux, les marmottes sont en hibernation, les renards ne font que passer. Même la petite colonie de castors que j'observais à temps perdu sur un étang près du chalet a changé de secteur. Les pluies ont gonflé leur réserve d'eau au point d'ouvrir une brèche dans leur barrage. L'étang s'est vidé et les castors que j'avais appris à reconnaître après des dizaines d'heures d'observation, *Tête large, Tête fine,* leurs petits et le grand général, *Queue balafrée,* se sont dispersés sur le lac Villiers. J'ai dû abandonner leur étude car je ne pouvais plus les différencier avec certitude des autres castors du lac... Heureusement, il y a les chiens !

Cette équipe presque parfaite qui m'obéit au doigt et à l'œil est le produit de ce que j'appelle ma méthode douce de dressage. Je ne prétends pas que c'est la seule méthode valable ni que tous les éleveurs de chiens de traîneau sont brutaux envers leurs bêtes. Seulement, dans le monde des courses de traîneaux, certains éleveurs sont prêts à tout pour gagner : battre leurs chiens, leur injecter des stéroïdes anabolisants, exterminer ceux qui ne courent pas assez vite, etc. J'ai vu des chiens s'évanouir de peur quand on criait leur nom... J'ai choisi de traiter les miens en amis, de compter sur leur intelligence et leur fidélité. Mes chiens vivent dans un chenil propre où les crottes sont ramassées deux fois par jour ; ils sont attachés à leur petite cabane de bois rond par des chaînes longues de 3 à 4 m. Cette cabane leur sert d'abri contre la pluie et le verglas. Quant au froid, les huskys ne le redoutent pas : il n'est pas rare qu'ils s'endorment sur la neige lorsqu'il fait -40 °C dehors ! J'ai remarqué qu'une longue chaîne, en permettant au chien de courir sur une plus grande distance autour de sa cabane, l'aide à rester en forme pendant l'été, en attendant la saison de traîneau.

Lorsque les chiots sont encore petits (moins de trois mois), je les laisse s'attacher à moi sans trop les gâter. Je les prends sur mes genoux sans les cajoler pour que, plus tard, ils aient besoin et envie de ma présence, pas de mes caresses. Lorsqu'ils s'installent au chenil avec les chiens adultes, les jeunes doivent comprendre que je suis toujours là pour subvenir à leurs besoins. Au début, ils s'ennuient et jappent à tout propos. Or, le jappement doit être réservé aux situations graves et aux moments où les chiens ont vraiment besoin de moi : lorsque leur chaîne s'emmêle ou que leur bol d'eau se renverse, par exemple. Lorsqu'un jeune chien jappe pour rien, je me rends au chenil et le réprimande, en haussant un peu le ton, puis je le fais entrer dans sa cabane. Après quelques jours de ce traitement, lorsqu'il jappe inutilement, je lui crie de loin : « Tais-toi, cabane ! » et s'il ne cesse pas, je vais le réprimander de plus près. Les chiens finissent par comprendre qu'ils peuvent m'appeler au besoin mais qu'il ne faut pas abuser ! Une fois ce contact établi entre le chien et l'homme, il n'est rien que l'on ne puisse apprendre à ces bêtes. Pour ma part, je n'ai pas besoin que mes chiens « fassent la belle ». Je préfère qu'ils sachent se rendre tout seuls au traîneau lorsque je les détache de leur cabane ou qu'ils m'aident à leur passer le harnais, en levant la patte gauche, puis la droite et en enfilant eux-mêmes la tête dans le collier. J'ai même l'impression qu'un jour mon vieux Moyac saura mettre lui-même son attelage et prendre le sentier sans moi. Pourvu qu'il ne parvienne pas un jour à m'atteler à sa place !

Pour bien dresser ses chiens, il faut aussi être attentif à leur comportement et à leurs besoins. Les chiens ne se comportent pas de la même manière devant vous que lorsqu'ils sont entre eux. En votre absence, ils jettent bas le masque et montrent leur caractère réel. Ainsi, en observant le vieux Moyac à son insu, je remarquai qu'il souffrait plus de sa vieillesse qu'il ne le laissait paraître en ma présence. Il avait de la difficulté à grimper dans sa cabane, comme un vieillard à monter un escalier. Pourtant, lorsque j'étais devant lui, son orgueil de chien l'y faisait sauter d'un bond! J'installai donc une bûche devant sa cabane, en guise de « marche-patte »! Je compris aussi pourquoi ma petite Cari ne tirait jamais sur son trait de traîneau. En mon absence, elle courait dans tous les sens mais, lorsque j'arrivais au chenil, elle ne sautait plus que dans ma direction et ne voulait plus manger avant mon départ, pour ne rien rater de la visite de son maître. En traîneau, elle ne voulait pas courir vers l'avant pour ne pas trop s'éloigner de moi... Il me fallut un mois pour lui faire comprendre que je la suivais et depuis, elle tire toujours très fort sur son trait.

Il faut aussi savoir que, comme tous les animaux, les chiens changent de comportement avec la pression atmosphérique.

Lorsque la pression est en hausse, toute la forêt est en fête, les oiseaux chantent, les écureuils cherchent de quoi manger et les chiens ont envie de courir. Lorsqu'elle est en baisse, tous regagnent leur tanière pour parer à la tempête et le silence envahit les bois. Un bon *musher* devra donc se munir d'un baromètre. Ce n'est pas que l'on doive se priver de promenades en traîneau chaque fois qu'il fait mauvais, au contraire. Mais ces jours-là, l'instinct puissant des chiens les incite à rester à l'abri et il faut s'attendre à ce qu'ils courent moins vite.

Enfin, pour garder le contrôle de la meute, il faut s'assurer que chacun de ses membres connaît son nom et quelques commandements de base. D'abord, si je crie « Kashtin, cabane ! », Kashtin doit sauter dans sa cabane ; « Bouge pas ! » signifie qu'il doit y rester jusqu'à nouvel ordre ; « Viens », qu'il doit sortir de sa cabane et me rejoindre, pour recevoir une caresse ou une récompense. « Bon chien ! » signale au chien qu'il a bien obéi et que je suis content de lui. Enfin, lorsqu'il entend « Couché ! », suivi de « Bouge pas ! », le chien doit s'étendre sur le sol et ne plus broncher. Ces commandements, lorsqu'ils sont bien compris, permettent d'éviter pertes de temps et réprimandes. Les chiens doivent en outre s'habituer à ne pas mâchouiller le harnais et à courir au bout d'une laisse. Comme mes chiens sont toujours enchaînés, ils comprennent vite qu'une fois attachés à une laisse ou attelés au traîneau ils peuvent courir librement avec leur maître au-delà des limites du chenil.

Lorsque chaque chien de mon attelage a compris tout cela, il ne reste qu'à attendre la neige pour compléter le dressage. Tout d'abord, le départ: pas question de lever l'ancre à neige qui retient le traîneau tant que tous les chiens de l'attelage ne sont pas couchés dans la neige à leur place, attentifs à mes ordres. La plupart du temps, je n'ai même pas à attacher mon traîneau tandis que je complète les préparatifs. Certains de mes amis ont du mal à détacher le leur tellement les chiens tirent sur leurs traits, sautent, se mordent. J'en ai même vu qui étaient obligés de trancher la corde d'attache à la hache pour partir!

Ces méthodes ne sont pas pour moi, non merci! Je n'attellerais pas un chien que je ne contrôle pas entièrement. Lorsqu'une équipe s'ébranle, elle déploie une force surprenante et la moindre fausse manœuvre peut se solder par de graves blessures pour le *musher* ou les bêtes. Je préfère enseigner à mon équipe le contrôle de soi et la patience. Quand tous les chiens sont couchés, j'enlève l'ancre à neige et leur ordonne : « P'tits, en avant ! » Toute l'équipe se met en branle et, à ce moment seulement, les chiens obtiennent la permission d'exprimer leur joie. Joie d'être libre, de prendre la piste, de parcourir jusqu'à 100 km de sentiers connus ou inconnus.

Cette étape franchie, il leur reste encore beaucoup à apprendre pour bien accomplir leur travail dans l'équipe. Apprendre à maintenir le trait tendu, à suivre le chien de tête sans chercher à couper par d'autres sentiers, à descendre les pentes à toute allure, à ne pas ralentir dans les montées, à ne pas regarder derrière, à uriner en courant, etc. Souvent, ces enseignements vont à l'encontre de leurs instincts et, quoiqu'il faille être exigeant envers ses chiens, il ne faut surtout pas les décourager. Parfois, ils semblent las d'apprendre et de se soumettre. On sent bien lorsqu'on attelle un chien s'il a envie ou non de sortir. Il faut ajuster ses exigences à l'humeur du chien, profiter de ses bons jours pour l'instruire. Si celui-ci se montre trop rebelle, quelques jours sans sorties stimuleront son intérêt pour le traîneau. Si ce n'est pas assez, si le lien qui l'unit à moi se dégrade, alors il faudra m'en rapprocher. Pour ce faire, je gâte un peu le chien. Je me ballade avec lui sur le lac, lui fait passer quelques nuits dans la maison afin qu'il révise son jugement sur son maître, qu'il sache que je ne suis pas le tyran qu'il croit que je suis. Ces attentions particulières, comme un souper qu'on offre à un ami qu'on était en train de perdre sans raison, donnent au chien la chance de sentir l'affection que je lui porte.

Bref, en comprenant bien mes chiens et en me faisant bien comprendre d'eux, je peux leur apprendre à tirer un traîneau sans jamais avoir recours à la violence... enfin, presque jamais. Il y a des cas où une sévère correction s'impose : lorsqu'un chien en défie un autre ou défie son maître ou lorsqu'un des membres de l'attelage se montre paresseux et laisse travailler les autres... Même dans ces cas-là, je n'ai pas à lever la main sur mes chiens : une bonne colère suffit généralement à faire comprendre au chien qu'il a mal agi et un « Bon chien ! » sincère, à le récompenser lorsqu'il rentre dans le rang. Pourtant, une fois, j'eus à corriger Kaya plus durement. J'avais tout essayé pour la convaincre de garder son trait tendu dans les descentes, sans résultat. J'arrêtais le traîneau, j'allais la voir, la caressais, la rassurais. En repartant, je lui lançais : « Allez, Kaya, allez ! en avant ! » C'était pire... J'arrêtai à nouveau le traîneau, saisis une branche de sapin bien fournie, me rendis jusqu'à elle en criant son nom et je la frappai très fort plusieurs fois. Ce traitement ne la faisait pas plus souffrir que si je l'avais battue avec une fleur. Pourtant, elle creusait la neige en gémissant. Lorsque l'équipe repartit, je criai : « En avant Kaya ! » Et Kaya tira, tira et aurait brisé sa corde si elle avait pu, tellement elle tirait. Elle avait eu plus de peur que de mal mais cela avait suffit à la corriger pour toujours de sa paresse.

De plus en plus de *mushers* changent leurs méthodes de dressage, les adoucissent. Beaucoup d'entre eux prennent plaisir à se promener avec leur meute sur de petits sentiers bordés d'épinettes, loin des pistes de course. Ces chiens-là ne sont pas à plaindre : ils travaillent fort et se fatiguent mais sont infiniment mieux traités que leurs congénères qui tremblent à la ligne de départ.

Chapitre 20

En avant !

Les chiens, couchés dans la neige de part et d'autre du trait principal, sont à mon écoute. Ce matin, j'irai voir s'il ne se passe rien d'anormal du côté d'un ravage d'orignaux situé en forêt, à quelque 40 km de chez moi. Lors de ma dernière randonnée, j'y ai vu des traces de motoneiges puis des traces de pas menant à quelques plumes de gélinotte. Des braconniers... Cette fois-là, ils n'ont tué qu'une gélinotte, mais s'ils s'en prenaient à un orignal ?

J'irai donc inspecter l'endroit et j'en profiterai pour inventorier les pistes d'animaux que je croiserai en chemin. « Bouge pas P'tits ! » J'enlève l'ancre à neige et la range dans le traîneau. « Bouge pas ! » J'attache fermement les courroies de velcro de mes mitaines, je relève le capuchon de mon anorak pour éviter que le froid ne s'y faufile quand le traîneau débouchera sur le lac, à la sortie du chenil. « Vous êtes prêts, P'tits, P'tites ? O.K. ! Kashtin, en avant ! »

Épilogue

Au printemps 1990, il y avait quatre ans que je vivais en solitaire au lac Villiers, par goût mais aussi parce que bien peu de femmes auraient pu se sentir à l'aise et belles dans ce pays encore sauvage. Mais un jour survint une amie, une infirmière et ornithologue du nom de Danielle Asselin. Nous savions tous deux de quel pain nous voulions nous nourrir, partagions les mêmes rêves et le même amour fou pour la nature, les oiseaux, les animaux, les rivières et les arbres. Nous avons donc uni nos vies et de cette union est né à Joliette, à l'automne 1990, Shema, parfait bébé, calme, souriant déjà à la vie et à ses défis.

Peu de temps après, nous retournions au lac Villiers pour poursuivre les travaux déjà amorcés, dont l'effet sur l'environnement se fait déjà sentir.

La surveillance du niveau du lac au printemps, lors de la ponte des brochets, a porté fruit : il y a déjà plus de brochets âgés d'un an ou deux dans le lac et le nombre de brochets ramenés au nid par nos balbuzards pendant l'été 1990 était 10 fois plus élevé que l'été précédent. Par contre, un autre péril menace les œufs et les alevins de toutes les espèces de poissons du lac : le choc acide printanier. Durant l'hiver, grâce au pouvoir tampon des sédiments du lac, le pH de l'eau se stabilise à une valeur assez neutre (autour de 6,2). Par contre, l'eau qui s'accumule sous forme de neige durant l'hiver est acide (pH 4,5 environ). Au printemps, cette eau se déverse dans la zone littorale du lac. Or, c'est dans cette zone que se trouvent les frayères... Au printemps, pendant les trois semaines critiques suivant la ponte, le pH des diverses frayères du lac Villiers variait de 4,6 à 5,6. C'est un véritable choc pour les alevins, dont le développement ralentit et devient anormal lorsque le pH de l'eau tombe sous 5,5. De plus, il est possible que l'eau du lac Villiers, comme celle de plus de 80 lacs de la région de la Mauricie, ait une teneur en aluminium trop élevée, ce qui expliquerait que les corégones et les touladis du lac meurent en si grand nombre depuis quelques années.

Bref, la bataille contre la pollution et les pluies acides ne fait que commencer pour Danielle et moi. Nous avons compilé les résultats de deux ans d'analyse de l'eau des lacs et des précipitations sur notre territoire et les avons fait parvenir à nos amis et collaborateurs et, par le biais de l'AQLPA, aux autorités concernées. Nous poursuivons aussi bien sûr l'étude de notre « colonie » de balbuzards. Nous avons vu planer près du chalet deux pygargues à tête blanche. Ces magnifiques et puissants oiseaux risquent de nuire à nos protégés. Ils sont à la recherche de nourriture facile à attraper et comme ils ne savent pas pêcher comme le font les balbuzards, ils attendent que ceux-ci capturent une proie, puis la leur volent! Nous avons l'intention de fournir des poissons aux pygargues à tête blanche qui nous rendront visite, afin qu'ils ne soient pas tentés de voler ceux des balbuzards...

Si Danielle et Shema me tiendront compagnie désormais, un autre être me manquera. Un ami fidèle, dont je chérirai toujours le souvenir et dont les innombrables qualités ont imprégné chacun des chiens de ma meute : Moyac, mort le 14 mai 1990.

Ce soir-là, le beau temps nous inspira l'envie d'une marche en forêt : aucun insecte pour nous importuner, des fleurs printanières le long du sentier, les chants des oiseaux en période nuptiale, tout respirait la vie. Moyac nous accompagnait joyeusement de son trot de vieillard. Mis à la retraite depuis deux mois, il vivait avec nous, à l'écart de la meute. Son nouveau foulard rouge à pois blancs lui donnait un air de gentil voyou. Il partageait tous nos moments. Lors des promenades, son instinct de chasseur le faisait courir tantôt à gauche, tantôt à droite, vers de nouvelles pistes. Un mot de moi et il revenait.

Nous marchions vers un lieu que nous avions surnommé l'érablière enchantée. Alors que nous étions entièrement absorbés par les fleurs et les chants d'oiseaux, Moyac disparut pendant une heure. Lorsqu'il revint, le pauvre ressemblait à une pelote d'épingles. D'innombrables dards de porc-épic étaient fichés dans ses pattes avant, son nez, ses yeux, sa gorge. Sa gueule saignait à flots tandis qu'il essayait d'extraire les dards plantés dans sa langue en les mâchant avec rage. Je fis un calcul rapide dans un énervement complet. Moyac, âgé de 14 ans, risquait de ne pas résister à une longue opération. De plus, il faut compter quatre heures de voyage pour se rendre à l'hôpital vétérinaire le plus près. Moyac allait souffrir énormément. L'euthanasie immédiate était la seule solution.

Dix ans de vie commune, ça compte. Moyac a partagé mes ressources, mes joies, mes peines, mes exubérances et mes déceptions. Nous avons parcouru ensemble plus de 15 000 km, croisé les mêmes animaux, les mêmes beautés, les mêmes misères. Mattawin's Touan Moyac était un chef. Pendant la plus grande partie de sa vie, il a été un excellent chien de tête, guidant diverses équipes de chiens sur notre territoire. Il en connaissait chaque piste, chaque tournant, chaque lac et chaque difficulté. Quand il céda (de bon cœur) la place de tête à son fils Kashtin, il n'en demeura pas moins jusqu'à sa mort le chef absolu de la meute. Lors de mes dernières sorties, même si je tentais de me soustraire à sa vue et de faire quelques voyages sans lui, il me rejoignait sur la piste et poursuivait l'équipe rapide de 13 bêtes sur des distances allant jusqu'à 100 km. Foulard rouge au cou, il ne manquait pas d'arroser les petits arbustes du territoire et de gratter le sol de ses pattes avant, nez au vent, le regard sérieux et réfléchi.

Moyac est mort. Son corps repose maintenant sous un talus couvert de violettes, près de ses fils, ses filles et sa compagne. Puissent son courage et sa fierté m'habiter pour le reste de ma vie.

* * *

Les mois passent... Pour Danielle, Shema et moi, la vie au lac Villiers continue de plus belle. Nous avons construit notre nouvelle maison de bois rond : beaucoup de mouches noires et de maringouins ont assisté aux travaux ! Mais cette construction s'imposait. C'est que, bientôt, un nouvel enfant se joindra à notre famille! Je souhaite qu'il grandisse en aimant les épinettes, les aigles, les chiens et qu'il s'endorme tous les soirs en entendant le chant du Nord.

Table des matières

Dans la même collection :

LA DÉRIVE
Nicole M.-Boisvert
Annette, désespérée après la mort de Mathieu, s'embarque pour l'inconnu à bord d'un petit voilier. Dans son coeur, la réalité exaltante du voyage se heurte à ses tristes souvenirs. Mais la Vie, pleine de richesses et de dangers, a raison de tout. Même du plus grand des chagrins.

LA PROIE DES VAUTOURS
Sylvia Sikundar
La sécheresse sévit en Afrique. Qui doit-on aider en premier ? La population affamée ou les animaux de la savane décimés par les braconniers ? Un récit d'aventure et de mystère qui affronte un profond dilemme de l'humanité.

COUPS DE COEUR
Nicole M.-Boisvert
Christiane Duchesne
Michèle Marineau
Michel Noël
Sonia Sarfati
Cinq auteurs. Cinq cadeaux. Un seul hymne à l'aventure et au rêve.

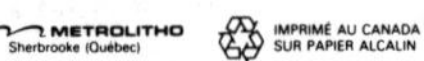
METROLITHO
Sherbrooke (Québec)
IMPRIMÉ AU CANADA
SUR PAPIER ALCALIN